10
18

12, AVENUE D'ITALIE. PARIS XIIIe

Sur l'auteur

Ressortissant britanique né en 1948 au Zimbabwe, où il a grandi, Alexander McCall Smith vit aujourd'hui à Édimbourg. Il y exerce les fonctions de professeur de droit appliqué à la médecine et est parallèlement membre du Comité international de bioéthique à l'UNESCO. Il a vécu quelques années au Botswana où il a contribué à l'organisation de la première école de droit et rédigé le Code pénal. Il a écrit une cinquantaine d'ouvrages allant du manuel juridique au précis de grammaire portugaise et de nombreux ouvrages pour enfants. Il est notamment l'auteur des aventures de la désormais Mma Ramotswe, première femme détective du Botswana, qui compte déjà sept tomes, et d'un recueil de contes intitulé *La Femme qui épousa un lion*. *Le Club des philosophes amateurs* est le premier volume d'une nouvelle série située cette fois en Écosse, et dont le deuxième volet , Amis, amants, chocolat, a paru en 2006 aux Éditions des 2 Terres.

ALEXANDER McCALL SMITH

MMA RAMOTSWE DÉTECTIVE

Traduit de l'anglais
par Élisabeth KERN

INÉDIT

10
18

« *Grands Détectives* »

dirigé par Jean-Claude Zylberstein

Du même auteur
aux Éditions 10/18

Série « Mma Ramotswe »

Série « Isabel Dalhousie »

Titre original :
The N° 1 Ladies' Detective Agency

© Alexander McCall Smith, 1998.
© Éditions 10/18, Département d'Univers poche, 2003,
pour la traduction française.
ISBN 978-2-264-04550-8

CHAPITRE PREMIER

Le Papa

Mma Ramotswe possédait une agence de détectives en Afrique, au pied du mont Kgale. Voici les biens dont elle disposait : une toute petite fourgonnette blanche, deux bureaux, deux chaises, un téléphone et une vieille machine à écrire. Il y avait en outre une théière, dans laquelle Mma Ramotswe (seule femme détective privée du Botswana) préparait du thé rouge. Et aussi trois tasses : une pour elle, une pour sa secrétaire et une pour le client. De quoi d'autre une agence de détectives pourrait-elle avoir besoin ? Le métier de détective repose sur l'intelligence et l'intuition humaines, et Mma Ramotswe possédait l'une et l'autre en abondance. Bien sûr, ce genre de chose ne figurerait jamais dans aucun inventaire...

Il y avait la vue aussi, mais elle non plus ne pouvait apparaître dans un inventaire. Comment une simple liste eût-elle décrit ce que l'on voyait de la porte de Mma Ramotswe ? Au premier plan, un acacia, cet épineux qui parsème les abords sauvages du Kalahari : longues épines blanches pour mettre en garde, feuilles gris-olive qui contrastent, délicates. Parmi ses branchages, en fin d'après-midi ou dans la fraîcheur du petit matin, on pouvait voir — ou plutôt entendre — un *touraco* vert. Et derrière l'acacia, par-delà la route poussiéreuse, les toits de la ville, sous une couverture d'arbres et de brousse. A l'horizon, dans le chatoiement azur des brumes de chaleur, les collines, telles d'improbables termitières géantes.

Tout le monde l'appelait Mma Ramotswe, mais s'ils avaient voulu respecter les convenances, les gens se seraient adressés à elle en disant *Mme* Mma Ramotswe. Telle est la formulation adéquate pour une personne respectable, mais même elle ne l'avait jamais employée. Ainsi était-elle toujours Mma Ramotswe, et non pas Precious Ramotswe, un prénom que très peu de gens utilisaient.

C'était une bonne enquêtrice et une femme de bien. Une femme de bien dans un pays de bien, pourrait-on dire. Elle aimait son pays, le Botswana, qui était une terre de paix, et elle aimait l'Afrique pour toutes ses vicissitudes. Je n'ai pas honte d'être qualifiée de patriote africaine, disait Mma Ramotswe. J'aime tous les peuples que Dieu a créés, mais je sais tout spécialement comment aimer celui qui vit ici. C'est mon peuple, ce sont mes frères et mes sœurs. Il est de mon devoir de les aider à élucider les mystères de leur existence. Telle est ma vocation.

Dans ses moments d'oisiveté, lorsqu'il n'y avait aucune affaire pressante à traiter et que tout le monde semblait s'alanguir sous l'effet de la chaleur, elle s'asseyait sous l'acacia. L'endroit était poussiéreux et les poules venaient par moments picorer à ses pieds, mais c'était un lieu qui favorisait la réflexion. Là, Mma Ramotswe méditait sur certaines questions que l'on a tendance, dans la vie de tous les jours, à mettre de côté.

Tout, pensait Mma Ramotswe, a été quelque chose par le passé. Moi-même, je suis ici, seule femme détective de tout le Botswana, assise devant mon agence. Mais il y a quelques années à peine, il n'y avait pas d'agence de détectives à cet endroit, et avant cela, il n'y avait même pas de maison, il n'y avait que des acacias, et le lit du fleuve à côté, et le Kalahari là-bas, si proche...

En ce temps-là, il n'y avait même pas de Botswana, mais seulement le protectorat du Bechuanaland, et avant cela encore, le territoire de Khama, et puis des lions, avec le vent sec qui soufflait dans leurs crinières. Mais regardez à présent : une agence de détectives, ici à Gaborone, et moi, la grosse dame détective, assise devant la porte et plongée dans cette réflexion sur la façon dont ce qui est une chose aujourd'hui deviendra tout à fait autre chose demain.

Mma Ramotswe avait créé l'Agence N° 1 des Dames Détectives avec le fruit de la vente du bétail de son père. Celui-ci possédait un important troupeau et il n'avait pas d'autre enfant, de sorte que toutes les bêtes, soit cent quatre-vingts au total, y compris les grands taureaux brahmin blancs dont il élevait déjà les grands-parents, étaient revenues à Mma Ramotswe. On avait transféré le bétail à Mochudi, où il avait attendu dans la poussière, sous la surveillance de petits vachers dissipés, l'arrivée de l'agent du cheptel.

Le troupeau dégagea une jolie somme, car il y avait eu de fortes pluies cette année-là et l'herbe avait bien poussé. Si la vente s'était faite un an plus tôt, alors que le sud de l'Afrique dépérissait sous la sécheresse, c'eût été une autre histoire. A l'époque, tout le monde hésitait, s'accrochant jusqu'au bout à ses bêtes, puisque chacun sait que, sans bétail, nous sommes nus. Les plus désespérés avaient fini par vendre, parce qu'ils constataient que les pluies se raréfiaient depuis plusieurs années déjà et que les animaux maigrissaient. Mma Ramotswe se réjouissait que la maladie de son père eût empêché celui-ci de prendre une telle décision, car, désormais, les prix remontaient et ceux qui avaient tenu bon se voyaient récompensés.

— Je veux que tu aies une affaire bien à toi, lui avait-il dit sur son lit de mort. Tu obtiendras un bon prix du troupeau maintenant. Vends-le et achète-toi un magasin. Une boucherie, pourquoi pas? Ou un débit de boissons. A toi de choisir.

Elle tenait la main de son père et regardait au fond des yeux l'homme qu'elle aimait plus que tout autre, son Papa, son très sage Papa, qui s'était empli les poumons de poussière dans les mines et avait économisé sur tout pour offrir une belle vie à sa fille.

Bien qu'elle peinât à parler à travers ses larmes, elle parvint à articuler :

— Je vais ouvrir une agence de détectives. A Gaborone. Ce sera la meilleure du Botswana. L'Agence N° 1.

Pendant quelques instants, son père ouvrit de grands yeux et sembla lutter pour dire quelque chose.

— Mais... Mais...

Il mourut avant d'avoir pu préciser sa pensée, et Mma Ramotswe s'effondra sur sa poitrine, pleurant la dignité, l'amour et les souffrances qui s'éteignaient avec lui.

Elle fit confectionner une pancarte aux couleurs vives, qu'elle installa à l'angle de Lobatse Road, en bordure de ville, pointée sur la petite maison qu'elle avait achetée : AGENCE N° 1 DES DAMES DÉTECTIVES. TOUTES ENQUÊTES ET AFFAIRES CONFIDENTIELLES. SATIS-FACTION GARANTIE POUR TOUTES LES PARTIES. PROPRIÉTAIRE GÉRANTE.

L'ouverture de l'agence suscita un intérêt considérable parmi le public. Mma Ramotswe eut droit à une interview sur Radio Botswana, où elle estima qu'on la pressait un peu trop rudement de révéler ses qualifications, et un article plus satisfaisant dans le *Botswana News*, qui attirait l'attention sur le fait qu'elle était la seule femme détective privée du pays. L'article fut découpé, photocopié et exposé en évidence dans un petit cadre, à côté de la porte d'entrée de l'agence.

Après un démarrage assez lent, Mma Ramotswe eut la surprise de découvrir que ses services répondaient à un besoin considérable. Elle fut consultée pour retrouver des maris disparus, étudier la crédibilité financière d'associés potentiels ou enquêter sur des employés indélicats. A chaque client ou presque, elle parvenait au moins à fournir des renseignements précieux. Les rares fois où elle échouait, elle refusait d'être payée, si bien qu'aucun de ceux qui firent appel à elle ne trouva à redire. Les gens du Botswana aimaient parler, découvrit-elle, et il lui suffisait de mentionner sa profession pour obtenir une incroyable profusion d'informations sur toutes sortes de sujets. Les gens trouvaient flatteur, conclut-elle, d'être approchés par un détective privé et, du coup, les langues se déliaient. Cela se vérifia avec Happy Bapetsi, l'une de ses premières clientes. Pauvre Happy ! Avoir perdu, puis retrouvé son père, pour le perdre de nouveau...

— Je menais une existence heureuse, expliqua Happy Bapetsi. Très heureuse. Et puis, cette chose est arrivée et, maintenant, je ne peux plus en dire autant.

Mma Ramotswe considéra sa cliente et but une gorgée de thé rouge. Tout ce que l'on a envie de savoir sur une personne est inscrit sur son visage, pensait-elle. Ce n'était pas la forme de la tête qui comptait, contrairement à ce que croyaient beaucoup de gens. Il s'agissait plutôt d'examiner avec soin les rides d'expression et l'aspect général. Et puis les yeux, bien sûr. Les yeux étaient très importants. Ils permettaient de regarder à l'intérieur de la personne, de pénétrer son essence même, et c'était pour cette raison que les individus qui avaient quelque chose à cacher portaient des lunettes noires même à l'intérieur. Il importait d'examiner ces gens-là avec la plus grande attention.

Cette Happy Bapetsi était intelligente, on le devinait au premier coup d'œil. Par ailleurs, elle avait peu de soucis : cela apparaissait dans l'absence de rides sur son visage, hormis celles du sourire, bien sûr. Le problème qui l'amène vient donc d'un homme, conclut Mma Ramotswe. Un homme a surgi et tout gâché, détruisant le bonheur de Happy par sa mauvaise conduite.

— Laissez-moi d'abord vous parler un peu de moi, dit Happy Bapetsi. Je suis née à Maun, vous savez, sur le delta de l'Okavango. Ma mère tenait un petit magasin et je vivais avec elle dans l'arrière-boutique. Nous avions beaucoup de poules et nous étions heureuses. Ma mère m'avait expliqué que mon père était parti bien des années plus tôt, quand j'étais encore bébé. Il était allé travailler à Bulawayo et n'était jamais revenu. Quelqu'un nous avait écrit (un autre Motswana émigré là-bas) pour nous dire qu'il pensait que Papa était mort, mais qu'il n'en était pas sûr. Il expliquait qu'un jour, en allant voir un malade à l'hôpital de Mpilo, il était passé dans un couloir où il avait vu un chariot que l'on poussait. Selon lui, le mort du chariot ressemblait étonnamment à Papa. Mais il ne pouvait avoir aucune certitude.

« Nous avons donc conclu qu'il était mort, mais ma mère n'a pas été triste, parce qu'elle ne l'avait jamais beaucoup aimé. Quant à moi, bien sûr, je ne me souvenais pas de lui, alors cela ne faisait pas tellement de différence.

« Je suis allée à l'école à Maun, dans un établissement tenu par des missionnaires catholiques. L'un d'eux s'est aperçu que je me débrouillais plutôt bien en arithmétique et il a passé beaucoup de temps à m'aider à apprendre. Il disait qu'il n'avait jamais vu une fille compter aussi bien.

« Cela devait être très étonnant, j'imagine. Je voyais un groupe de chiffres et je les retenais tous. Ensuite, je m'apercevais que j'avais additionné tous ces chiffres dans ma tête, sans y penser. Cela me venait très facilement... Je n'avais même pas besoin de faire d'efforts.

« J'ai réussi mes examens et, à la fin de ma scolarité, je suis partie à Gaborone pour étudier la comptabilité. Là encore, tout était simple pour moi : j'étais capable de lire une page entière de chiffres et de tout comprendre aussitôt. Ensuite, le lendemain, je me rappelais exactement tous les chiffres et je les réécrivais au besoin.

« J'ai trouvé un travail à la banque et j'ai obtenu promotion sur promotion. Aujourd'hui, j'ai un poste de premier sous-comptable et je ne pense pas pouvoir aller plus loin, car tous les hommes ont peur de paraître idiots à côté de moi. Mais cela m'est égal. Je gagne un très bon salaire et je peux terminer ma journée de travail à trois heures de l'après-midi, parfois même plus tôt. Alors je vais faire des courses. J'ai une jolie maison de quatre pièces et je suis très heureuse. Avoir déjà tout ça à trente-huit ans, c'est bien, je trouve.

Mma Ramotswe sourit.

— Tout cela est très intéressant, dit-elle. Vous avez raison. C'est une belle réussite.

— J'ai beaucoup de chance, acquiesça Happy Bapetsi. Seulement maintenant, il y a cette chose qui est arrivée. Mon Papa est venu à la maison.

Mma Ramotswe en eut le souffle coupé. Elle ne s'attendait pas à ça. Jusque-là, elle était convaincue qu'il s'agissait d'une histoire sentimentale. Les pères posaient un problème tout à fait différent.

— Il a frappé à ma porte, poursuivit Happy Bapetsi. C'était un samedi après-midi et je faisais la sieste dans ma chambre lorsque je l'ai entendu. Je me suis levée, je suis allée ouvrir et j'ai vu cet homme, qui devait avoir une soixantaine d'années, debout avec son chapeau dans les mains. Il m'a dit qu'il était mon Papa et qu'il avait vécu très longtemps à Bulawayo, mais qu'il était maintenant de retour au Botswana et qu'il était venu me voir.

« Vous imaginez le choc que cela m'a fait. Il a fallu que je m'asseye, parce que, sinon, je crois que je me serais évanouie. Entre-temps, il s'était remis à parler. Il m'a dit le nom de ma mère, qui était correct, et il a expliqué qu'il était désolé de ne pas avoir donné signe de vie plus tôt. Ensuite, il m'a demandé s'il pouvait loger dans une des chambres inoccupées, parce qu'il n'avait pas d'endroit où aller.

« J'ai dit oui, bien sûr. D'une certaine façon, j'étais très heureuse de voir mon Papa, et j'ai pensé que ce serait bien de pouvoir rattraper toutes ces années perdues en l'installant chez moi, d'autant que ma pauvre mère était morte. J'ai donc fait un lit pour lui dans une chambre et je lui ai préparé un bon repas — du steak et des pommes de terre —, qu'il a mangé très vite. Quand il a terminé son assiette, il en a redemandé.

« Cela s'est passé il y a trois mois. Depuis, il vit dans cette chambre et je fais tout le travail pour lui. Je lui prépare son petit déjeuner, son déjeuner, que je laisse à la cuisine, et puis son dîner, chaque soir. Je lui achète une bouteille de bière par jour et je lui ai aussi payé des vêtements neufs et une paire de bonnes chaussures. Lui, il se contente de rester assis dans son fauteuil devant la porte et de me dire ce que je dois faire d'autre pour lui.

— Beaucoup d'hommes sont comme ça, fit remarquer Mma Ramotswe.

Happy Bapetsi hocha la tête.

— Celui-là surtout. Il n'a pas lavé une seule casserole depuis son arrivée et je commence à être très fatiguée de m'occuper de lui comme ça. Et puis, il dépense beaucoup d'argent en vitamines et en *biltong*[1].

« Cela ne me dérangerait pas, vous comprenez, s'il n'y avait pas un petit détail qui me chiffonne : en fait, je ne pense pas que ce soit mon véritable père. Je n'ai aucun moyen de le prouver, mais je crois que cet homme est un imposteur. Il a dû apprendre l'existence de notre famille de la bouche de mon vrai Papa avant sa mort et, maintenant, il se fait passer pour lui. Ce que je crois, c'est que ce monsieur cherchait une maison pour sa retraite et qu'il est très content d'en avoir trouvé une bonne.

Mma Ramotswe dévisagea Happy Bapetsi, bouche bée. Celle-ci disait la vérité, cela ne faisait aucun doute ; mais ce qui était franchement stupéfiant, c'était l'effronterie, l'effronterie manifeste et absolue des hommes. Comment celui-là avait-il osé venir s'imposer ainsi à cette personne serviable et heureuse ? Quel monument de chicane, de fraude ! Un monument de vol qualifié, en vérité !

— Pouvez-vous faire quelque chose pour moi ? s'enquit Happy Bapetsi. Pouvez-vous me dire si cet homme est vraiment Papa ? S'il l'est, je resterai une fille dévouée et je m'accommoderai de lui. Dans le cas contraire, je préférerais qu'il s'installe ailleurs.

Mma Ramotswe n'hésita pas une seconde.

— Je découvrirai la vérité, affirma-t-elle. Cela me demandera peut-être un jour ou deux, mais je trouverai !

Bien entendu, c'était plus facile à dire qu'à faire. Il

---

1. Viande séchée. *(N.d.T.)*

existait des examens sanguins de nos jours, mais elle doutait grandement que l'homme acceptât de s'y soumettre. Non, il faudrait tenter quelque chose de plus subtil, quelque chose qui montrerait, sans conteste, si ce monsieur était ou non le père. Elle interrompit soudain le fil de ses pensées. Oui ! songea-t-elle. Il y avait quelque chose de biblique dans cette histoire ! Qu'aurait fait le roi Salomon dans une telle situation ?

Mma Ramotswe alla chercher l'uniforme d'infirmière chez son amie Sœur Gogwe. Il était un peu serré, surtout aux manches, car Sœur Gogwe, bien que généreusement proportionnée, était plus mince que Mma Ramotswe. Mais lorsqu'elle l'eut enfilé et eut épinglé la montre sur le devant, elle devint la parfaite image de l'infirmière de l'Hôpital Princesse Marina. Ce déguisement était bon, pensa-t-elle, et elle se promit de songer à le réutiliser à l'avenir.

Tout en se dirigeant vers la maison de Happy Bapetsi au volant de sa petite fourgonnette blanche, elle médita sur cette tradition africaine d'assistance à la famille, qui nuisait parfois au bonheur des gens. Elle-même connaissait un homme, un sergent de police, qui subvenait aux besoins d'un oncle, de deux tantes et d'un petit-cousin. Une personne qui croyait aux vieux principes *tswana* ne pouvait chasser un membre de sa famille, et il y avait beaucoup à dire là-dessus. Dans de telles conditions, les charlatans et les parasites trouvaient la tâche plus facile ici qu'ailleurs. C'étaient eux qui gâtaient le système, pensa-t-elle, eux qui donnaient des anciens usages une mauvaise image.

En approchant de la maison, elle accéléra. C'était une mission de charité qu'elle accomplissait là, après tout, et si le Papa était assis devant la porte d'entrée, il devait la voir arriver dans un nuage de poussière. Le Papa était là, bien entendu, profitant du soleil du matin.

Il se redressa sur sa chaise lorsqu'il vit la petite fourgonnette blanche approcher à toute vitesse et piler net
devant la maison. Mma Ramotswe coupa le moteur et
sortit précipitamment du véhicule pour courir vers lui.

— *Dumela Rra*[1] *!* lança-t-elle à la hâte. Êtes-vous le
Papa de Happy Bapetsi ?

L'homme se leva.

— Oui, répondit-il fièrement. Je suis son Papa.

Mma Ramotswe fit mine de haleter, comme si elle
cherchait à reprendre son souffle.

— Je suis désolée, dit-elle, mais je dois vous dire
qu'il y a eu un accident. Happy a été renversée et elle
se trouve à l'hôpital, dans un état très grave. En ce
moment même, on est en train de pratiquer sur elle une
opération très importante.

Le Papa se mit à gémir.

— Ouh ! Ma fille ! Happy, mon petit bébé !

Excellent comédien, songea Mma Ramotswe. A
moins que... Non, elle préférait se fier à l'instinct de
Happy Bapetsi. Une fille devait reconnaître son vrai
père, même si elle ne l'avait pas revu depuis les premiers mois de sa vie.

— Oui, poursuivit-elle, c'est vraiment triste. Elle va
mal, on ne peut plus mal. Et il va falloir beaucoup de
sang pour compenser tous les litres qu'elle a perdus.

Le Papa fronça les sourcils.

— Mais il faut lui donner ce sang ! Plein de sang !
J'ai de quoi payer.

— Ce n'est pas une question d'argent, expliqua
Mma Ramotswe. Le sang est gratuit. En fait, nous
n'avons pas le bon groupe. Nous devons trouver
quelqu'un de sa famille, et vous êtes le seul parent
qu'il lui reste. C'est donc à vous que nous devons pré-
lever du sang.

---

1. Bonjour, monsieur. *(N.d.T.)*

Le Papa se laissa retomber lourdement sur sa chaise.

— Je suis un vieillard, souffla-t-il.

Mma Ramotswe sentit qu'elle touchait au but. Oui, cet homme était un imposteur.

— C'est justement pour cela que nous nous adressons à vous, insista-t-elle. Parce qu'elle a besoin d'énormément de sang. Nous devrons vous prendre la moitié du vôtre. Et il est possible que cela soit très dangereux pour vous. Je dirais même que vous risquez de mourir.

Le Papa ouvrit la bouche, abasourdi.

— De mourir ?

— Oui, dit Mma Ramotswe. Mais vous êtes son père et nous savons que vous êtes prêt à faire cela pour votre fille. Maintenant, il faudrait vous dépêcher, sinon, il sera trop tard. Le Dr Moghile attend.

Le Papa inspira une bouffée d'air, puis referma la bouche.

— Allons, reprit Mma Ramotswe en se penchant pour lui saisir le poignet. Je vais vous aider à marcher jusqu'à la voiture.

Le Papa se leva, mais tenta aussitôt de se rasseoir. Mma Ramotswe le tira par le bras.

— Non, protesta-t-il, je ne veux pas !

— Il le faut, assura Mma Ramotswe. Allez, venez.

Le Papa secoua la tête.

— Non, fit-il d'une voix faible. Je n'irai pas. Vous comprenez, je ne suis pas vraiment son Papa. Il y a eu une erreur.

Mma Ramotswe lui lâcha le poignet. Puis elle croisa les bras et, se plantant devant lui, le regarda droit dans les yeux.

— Ainsi, vous n'êtes pas son Papa ! Très bien ! Très bien ! Mais alors, qu'est-ce que vous faites là, assis sur sa chaise et installé chez elle, à manger sa nourriture ? Avez-vous entendu parler du Code pénal du Botswana et de ce qui est prévu pour les gens comme vous? Hein?

Le Papa baissa les yeux et secoua la tête.

— Bon! déclara Mma Ramotswe. Vous allez rentrer dans cette maison et rassembler vos affaires. Vous avez cinq minutes. Ensuite, je vous amènerai à la gare routière et vous prendrez un bus. Où habitez-vous en réalité?

— A Lobatse, répondit le Papa. Mais je n'aime pas cette ville.

— Ah bon? fit Mma Ramotswe. Peut-être que si vous commenciez par faire quelque chose, au lieu de rester assis dans un fauteuil, elle vous plairait un peu plus! Il y a plein de melons à cultiver là-bas. Cela pourrait être un bon début, qu'est-ce que vous en dites?

Le Papa avait l'air piteux.

— Rentrez tout de suite! ordonna-t-elle. Il ne vous reste plus que quatre minutes!

Lorsque Happy Bapetsi rentra chez elle, elle trouva le Papa parti et la chambre débarrassée. Sur la table de la cuisine, il y avait un mot de Mma Ramotswe. Elle le lut et, aussitôt, le sourire lui revint.

Finalement, ce n'était pas votre Papa. J'en ai eu la confirmation de la meilleure façon possible. J'ai fait en sorte qu'il l'avoue lui-même. Peut-être retrouverez-vous le vrai un jour. Peut-être pas. Mais en attendant, vous pouvez de nouveau vivre heureuse.

CHAPITRE II

Il y a bien longtemps

Nous n'oublions rien, pensait Mma Ramotswe. Nos têtes sont peut-être étroites, mais elles sont emplies de souvenirs, comme le ciel s'emplit parfois de nuées d'abeilles, des milliers et des milliers de souvenirs, d'odeurs, de lieux, de petites choses qui nous arrivent et nous reviennent sans qu'on s'y attende pour nous rappeler qui nous sommes. Et qui suis-je, moi ? Je suis Precious Ramotswe, citoyenne du Botswana, fille d'Obed Ramotswe, qui est mort parce qu'il avait été mineur et qu'il n'arrivait plus à respirer. Sa vie à lui n'a été consignée nulle part : qui se préoccupe d'écrire la vie des gens ordinaires ?

Je m'appelle Obed Ramotswe et je suis né en 1930 près de Mahalapye. Mahalapye se situe à mi-chemin entre Gaborone et Francistown, sur cette route qui semble ne jamais devoir finir. C'était une mauvaise route en ce temps-là, bien sûr, et la ligne de chemin de fer était bien plus importante que maintenant. La voie ferrée arrivait de Bulawayo, pénétrait au Botswana à Plumtree, puis descendait vers le sud en longeant la frontière du pays jusqu'à Mafikeng, de l'autre côté.

Quand j'étais petit, je venais toujours voir les trains

qui s'arrêtaient sur la voie d'évitement en crachant leurs nuages de fumée. Notre jeu consistait à courir le plus près possible des trains. Les chauffeurs criaient sur nous et le chef de gare sifflait, mais ils n'arrivaient jamais à se débarrasser de nous. Nous nous cachions derrière des caisses ou des plantes, dont nous surgissions pour quémander des pièces à travers les vitres fermées des wagons. Les Blancs regardaient par la fenêtre, tels des fantômes, et, parfois, ils nous jetaient un de leurs pennies rhodésiens, de grosses pièces de cuivre percées au milieu, ou même, quand nous avions de la chance, une minuscule pièce d'argent que nous appelions *tickey* et avec laquelle nous pouvions acheter une petite boîte de sirop.

Mahalapye était un village tout en longueur, composé de huttes brunes de boue séchée au soleil et de quelques bâtiments aux toits de tôle. Ceux-ci appartenaient au gouvernement ou à la compagnie de chemin de fer et représentaient à nos yeux un luxe lointain et inaccessible. Le village comportait une école tenue par un vieux prêtre anglican et une femme blanche au visage à moitié détruit par le soleil. Tous deux parlaient le setswana, ce qui était rare, mais ils nous faisaient la classe en anglais et insistaient, sous peine d'une bonne rossée, pour que nous laissions notre langue maternelle dans la cour de récréation.

Au-delà de la route débutait la plaine qui s'étendait jusqu'au Kalahari. C'était une terre sans caractère, encombrée de robiniers sur les branches desquels venaient se percher les calaos et les sucriers volages, avec leur longue queue de plumes qu'ils traînent derrière eux. C'était un monde qui nous semblait infini, ce qui, je pense, rendait l'Afrique si différente à cette époque. Ce territoire n'avait pas de fin. Un homme pouvait marcher ou chevaucher toute sa vie sans jamais arriver nulle part.

J'ai soixante ans à présent et je ne crois pas que Dieu souhaite que je vive encore très longtemps. Peut-être aurai-je droit à quelques années de plus, mais j'en doute. J'ai vu le Dr Moffat à l'Hôpital Hollandais Réformé de Mochudi et il a écouté ma poitrine. Il a deviné que j'avais été mineur rien qu'en écoutant. Il a secoué la tête et m'a dit que les mines avaient différentes façons de faire souffrir un homme. En l'entendant, je me suis souvenu d'une chanson que les mineurs de Sotho chantaient souvent. Ça disait : « La mine mange les hommes. Même une fois que vous l'avez quittée, elle est peut-être encore en train de vous manger. » Nous savions tous que c'était vrai. On pouvait mourir écrasé sous un éboulis, ou alors bien des années plus tard, tandis que la descente au fond de la mine n'était plus qu'un souvenir, ou un mauvais rêve qui vous rendait visite la nuit. La mine venait réclamer son dû, tout comme elle revient maintenant me chercher. Je n'ai donc pas été surpris par ce que m'a dit le Dr Moffat.

Il y a des gens qui ne supportent pas des nouvelles comme celle-là. Ils croient qu'ils doivent vivre toujours et ils sanglotent et se lamentent quand ils s'aperçoivent que leur heure a sonné. Je ne suis pas ainsi, je n'ai pas pleuré en entendant la nouvelle du docteur. La seule chose qui m'attriste, c'est que je vais devoir quitter l'Afrique lorsque je mourrai. J'aime l'Afrique, c'est à la fois ma mère et mon père. Quand je serai mort, l'odeur de l'Afrique me manquera, parce qu'il paraît que là où on va, où que ce soit, il n'y a ni odeurs ni saveurs.

Je ne dis pas que je suis courageux — ce n'est pas le cas —, mais, vraiment, cette nouvelle que je viens d'apprendre ne m'a rien fait. Je peux regarder derrière moi, revoir les soixante années de ma vie et penser à tout ce que j'ai connu, à la façon dont j'ai débuté sans rien pour me retrouver finalement propriétaire de près de deux cents têtes de bétail. Et puis, j'ai une gentille fille, une fille loyale, qui s'occupe bien de moi et me prépare du thé pendant que je reste assis au soleil à contempler les montagnes. Quand on regarde ces montagnes au loin, elles sont bleues, comme toutes les grandes étendues dans ce pays. Nous sommes loin de la mer ici, puisqu'il y a l'Angola et la Namibie entre nous et la côte, pourtant, nous avons cet immense océan de bleu au-dessus et autour de nous. Aucun marin ne pourrait se sentir plus seul qu'un individu planté au cœur de notre pays, avec ces kilomètres et ces kilomètres de bleu autour de lui.

Je n'ai jamais vu la mer, quoiqu'un jour un homme avec lequel je travaillais à la mine m'ait invité à venir chez lui, au Zoulouland. Il m'a dit qu'il y avait là-bas des collines vertes qui descendaient jusqu'à l'océan Indien et que, de sa maison, il apercevait des navires au loin. Il m'a dit que les femmes de son village fabriquaient la meilleure bière du pays et qu'un homme pouvait rester pendant des années assis au soleil, à boire de la bière de maïs, sans jamais rien faire d'autre que des enfants. Il m'a dit que si je venais avec lui, il me trouverait sûrement une épouse et que l'on pourrait passer sur le fait que je n'étais pas zoulou... à condition que j'accepte de verser assez d'argent au père pour qu'il me donne sa fille.

Mais pourquoi aurais-je voulu aller au Zoulouland ? Pourquoi aurais-je souhaité autre chose que vivre au Botswana et épouser une fille tswana ? Je lui ai dit que le Zoulouland semblait bien agréable, mais que chaque homme avait dans son cœur une carte de son propre pays et que le cœur n'acceptait pas que l'on oublie cette carte. Je lui ai dit qu'au Botswana nous n'avions ni les vertes collines ni la mer, mais que nous avions le Kalahari et un paysage qui s'étendait au-delà de l'imaginable. Je lui ai dit que si un homme naît dans un endroit sec, même s'il rêve souvent de pluie, il n'en veut pas trop malgré tout, et le soleil qui tape ne le dérange pas plus que ça. Ainsi ne suis-je jamais allé au Zoulouland et n'ai-je jamais vu la mer, jamais. Cela ne m'a pas rendu plus malheureux pour autant. Pas un instant.

Maintenant je suis là, j'approche de la fin et je songe à tout ce qui m'est arrivé. Pas un jour ne passe sans que mon esprit n'aille vers Dieu et n'essaie d'imaginer ce que mourir signifie. Je n'ai pas peur, parce que je ne crains pas la douleur, et celle que je ressens en ce moment est tout à fait supportable. On me donne des cachets, de gros cachets blancs, que je peux prendre si la douleur dans ma poitrine devient trop forte. Seulement, ils me font dormir et, moi, je préfère rester éveillé. Alors je pense à Dieu et je me demande ce qu'il me dira quand j'arriverai devant lui.

Certains se représentent Dieu comme un homme blanc. C'est une idée qu'ont apportée les missionnaires il y a bien des années et qui semble s'être enracinée dans l'esprit des gens. Pour ma part, je n'y crois pas, parce qu'il n'y a aucune différence entre les Blancs et les Noirs. Nous sommes tous pareils. Nous sommes des hommes, c'est tout. Et puis, Dieu était là avant l'arrivée des missionnaires. Nous lui donnions un nom différent à l'époque et ce n'était pas là-bas, dans le pays des Juifs, qu'il vivait. Il vivait ici, en Afrique, dans les roches, dans le ciel, dans les endroits où nous savons qu'il aimait séjourner. Quand on mourait, on allait ailleurs, et Dieu y était aussi, mais on ne pouvait pas se rapprocher particulièrement de lui. Pourquoi l'aurait-il souhaité ?

Au Botswana, on raconte l'histoire de deux enfants, un frère et une sœur, qui sont emportés au paradis par une tornade et qui découvrent que le paradis est plein de bétail blanc. C'est comme cela que j'aime y penser et j'espère que c'est vrai. J'espère que, quand je mourrai, je me retrouverai dans un lieu où il y aura du beau bétail à l'haleine sucrée et que ces bêtes viendront tout autour de moi. Si c'est cela qui m'attend, je serai heureux de partir dès demain, ou même tout de suite, maintenant. Mais j'aimerais quand même dire au revoir à Precious et tenir sa main au moment où je m'en irai. Ce serait une belle façon de partir.

J'aime notre pays et je suis fier d'être motswana. Aucun autre État d'Afrique ne peut garder la tête haute comme nous. Nous n'avons pas de prisonniers politiques et n'en avons jamais eu. Nous vivons en démocratie. Nous avons été prudents. La Banque du Botswana déborde d'argent grâce à nos diamants. Nous n'avons aucune dette.

Cependant, tout n'allait pas aussi bien autrefois. Avant la construction de notre pays, nous devions nous exiler en Afrique du Sud pour travailler. Nous allions dans les mines, comme les gens du Lesotho, du Mozambique, du Malawi et de tous ces pays. Les mines suçaient nos hommes jusqu'à la moelle et ne laissaient chez nous que les vieillards et les enfants. Nous creusions pour trouver de l'or et des diamants et enrichir les Blancs. Eux construisaient leurs grandes maisons, avec leurs murs d'enceinte et leurs voitures. Nous, nous creusions au-dessous pour extraire la pierre avec laquelle ils bâtissaient tout cela.

Je suis parti à la mine à l'âge de dix-huit ans. Nous étions le protectorat du Bechuanaland à l'époque, et les Britanniques dirigeaient notre pays, pour nous protéger des Boers (enfin, c'est ce qu'ils disaient). Il y avait un commissaire résident installé à Mafikeng, juste après la frontière avec l'Afrique du Sud ; il venait par la route pour parlementer avec les chefs. Il disait : « Faites ci, faites ça » et les chefs lui obéissaient tous, parce qu'ils savaient que sinon, ils seraient déposés. Cependant, certains d'entre eux étaient malins, et lorsque le Britannique leur disait « Faites ça ! », ils répondaient « Oui, oui, monsieur, je vais faire ça » et dès que l'autre avait le dos tourné, ils faisaient le contraire ou feignaient d'obéir. Ainsi, pendant des années, il ne s'est rien passé du tout. C'était un bon système de gouvernement parce que la plupart des gens veulent qu'il ne se passe rien. C'est le problème avec les gouvernements, de nos jours : ils veulent tout le temps accomplir des choses. Ils sont toujours très occupés à se demander ce qu'ils pourraient faire de plus. Ce n'est pas cela que les gens veulent. Les gens veulent qu'on les laisse tranquilles, pour qu'ils puissent s'occuper de leur bétail.

A l'époque, nous avions quitté Mahalapye pour nous installer à Mochudi, où vivait la famille de ma mère. Mochudi me plaisait et j'aurais été très heureux d'y rester, mais mon père a décidé que je devais partir à la mine, parce que ses terres ne rapportaient pas assez pour nous faire vivre, moi et la femme que j'épouserais bientôt. Nous n'avions pas beaucoup de bétail et nos cultures nous permettaient tout juste de manger à notre faim. Alors, quand le camion de recrutement est arrivé de la frontière, j'y suis allé ; ils m'ont pesé, ils ont écouté ma poitrine et m'ont fait monter et descendre une échelle à toute allure pendant dix minutes. Ensuite, un homme a déclaré que je ferais un bon mineur et ils m'ont dit d'écrire mon nom sur une feuille de papier. Ils m'ont demandé le nom de mon chef et ont voulu savoir si j'avais déjà eu des problèmes avec la police. C'est tout.

Je suis parti dans le camion le lendemain matin. J'avais une malle, que mon père m'avait achetée la veille au Magasin Indien. Je ne possédais qu'une paire de chaussures, mais j'avais une chemise de rechange et plusieurs pantalons. Je n'emportais rien d'autre, à part du *biltong* que ma mère avait préparé pour moi. J'ai chargé la malle sur le toit du camion, puis toutes les familles de ceux qui partaient se sont mises à chanter. Les femmes pleuraient et nous avons fait des signes d'au revoir. Les jeunes gens essaient toujours de ne pas pleurer et de ne pas paraître tristes, mais je savais qu'au fond de nos cœurs nous avions tous froid.

Il fallait douze heures pour atteindre Johannesburg, car les routes étaient mauvaises en ce temps-là et, si le camion roulait trop vite, il risquait de briser un essieu. Nous avons traversé le Transvaal occidental sous la chaleur, enfermés dans le véhicule comme des bestiaux. Toutes les heures, le chauffeur s'arrêtait et venait à l'arrière nous passer des cantines d'eau, qu'il remplissait dans chacune des villes où nous passions. Nous n'avions le droit de garder la cantine que quelques secondes, et, dans ce temps très court, il fallait prendre le plus d'eau possible. Les hommes qui en étaient à leur deuxième ou troisième contrat savaient tout cela et ils avaient emporté des bouteilles d'eau, qu'ils acceptaient de partager avec ceux qui n'en pouvaient plus. Nous étions tous des Batswana et un homme ne peut pas voir souffrir un frère motswana sans réagir.

Les plus âgés s'occupaient des plus jeunes d'entre nous. Ils nous expliquaient que maintenant que nous nous étions engagés pour travailler dans les mines, nous n'étions plus des enfants. Ils nous ont dit qu'à Johannesburg nous allions voir des choses que nous n'aurions jamais pu imaginer et que si nous étions faibles, ou stupides, ou que nous ne travaillions pas assez dur, notre vie ne serait désormais plus que souffrance. Ils nous ont dit que nous allions voir de la cruauté et des atrocités, mais que si nous nous serrions les coudes avec les autres Batswana et faisions ce que nous disaient les plus âgés, nous pourrions survivre. J'ai pensé qu'ils devaient exagérer. Je me souviens quand on nous parlait de l'initiation que nous allions tous devoir subir et qu'on nous mettait en garde contre ce qui nous y attendait : des grands disaient cela pour nous faire peur et la réalité était tout à fait différente. Mais ces hommes-là, eux, ne racontaient rien d'autre que la vérité. Ce qui nous attendait était exactement tel qu'ils l'avaient prédit, et même pire.

A Johannesburg, ils ont consacré deux semaines à notre formation. Nous étions tous forts et en bonne santé, mais personne ne pouvait être envoyé dans les mines sans un bon entraînement. Ils nous ont emmenés dans un bâtiment qu'ils chauffaient à la vapeur et nous ont fait sauter sur des bancs quatre heures par jour. C'était trop dur pour certains, qui s'évanouissaient et qu'il fallait aider à se relever, mais moi j'ai réussi à survivre et je suis passé à la deuxième partie de l'entraînement. On nous a dit comment nous serions emmenés au fond de la mine et quel travail on attendait de nous. On nous a parlé de sécurité et expliqué comment les éboulis de roches pouvaient nous écraser si nous ne faisions pas attention. On a fait venir un homme qui avait perdu ses deux jambes et on nous a obligés à l'écouter raconter ce qui lui était arrivé.

On nous a appris le funagalo, qui est la langue utilisée pour donner les ordres sous la terre. C'est un langage étrange. Les Zoulous riaient quand ils l'entendaient, parce qu'il comporte beaucoup de termes zoulous, mais ce n'est pas du zoulou. C'est une langue parfaite pour dire aux gens ce qu'ils doivent faire. Elle comprend une multitude de mots pour dire pousser, prendre, creuser, porter, charger, mais aucun pour amour, ou bonheur, ni pour les pépiements des oiseaux au lever du jour.

Ensuite, nous sommes descendus rejoindre les équipes et on nous a montré ce qu'il fallait faire. On nous a placés dans des cages, sous d'immenses poulies ; ces cages étaient expédiées vers le fond à la vitesse d'un faucon fondant sur sa proie. En bas, il y avait des trains — de petits trains — dans lesquels on nous a fait monter pour nous emmener tout au bout de longs tunnels très sombres remplis de roche verte et de poussière. Mon travail consistait à charger les roches qu'on venait de faire sauter, et je faisais cela sept heures par jour. Je suis devenu très fort, mais tout le temps il y avait de la poussière, de la poussière, et encore de la poussière.

Certaines mines étaient plus dangereuses que d'autres et nous savions tous desquelles il s'agissait. Dans une mine sûre, on ne voit presque jamais de civières. Dans une mine dangereuse, au contraire, les civières sont souvent sorties et l'on aperçoit des hommes que l'on remonte dans les cages, hurlant de douleur ou, pis encore, silencieux sous les lourdes couvertures rouges. Nous savions que le seul moyen de survivre était de faire partie d'une équipe dont chaque homme avait ce qu'on appelait le sens de la roche. C'était une chose que tout bon mineur possédait. Il fallait être capable de voir ce que faisait la roche — ce que *ressentait* la roche — et de comprendre où il était nécessaire de poser des étais supplémentaires. Si, dans une équipe, un ou deux hommes n'y parvenaient pas, peu importait la valeur des autres : la roche s'effondrait et écrasait les mineurs, bons ou mauvais.

Un autre facteur jouait aussi sur les chances de survie, c'était le mineur blanc dont on héritait. Les mineurs blancs étaient responsables des équipes, mais, en général, ils n'avaient pas grand-chose à faire. Si l'équipe était bonne, le garçon-chef savait exactement ce qu'il devait faire et comment il devait s'y prendre.

Dans ce cas, le mineur blanc faisait semblant de donner les ordres, mais il savait que le garçon-chef prendrait les choses en main. Toutefois, les mineurs blancs stupides — et il y en avait beaucoup — dirigeaient leur équipe avec trop de dureté. Ils criaient et frappaient les hommes s'ils estimaient qu'ils ne travaillaient pas assez vite et cela pouvait se révéler très dangereux. Cependant, quand des éboulis se produisaient, les mineurs blancs n'étaient jamais là : ils restaient toujours à l'extrémité du tunnel, à bavarder avec les autres Blancs en attendant qu'on vienne leur annoncer que le travail était terminé.

Il n'était pas rare qu'un mineur blanc batte ses hommes quand il se mettait en colère. Normalement, il ne devait pas le faire, mais les responsables fermaient les yeux et ne le réprimandaient pas. En revanche, nous n'avions pas le droit de riposter, même quand les coups étaient injustifiés. Quiconque frappait un Blanc était un homme fini. La police des mines l'attendait en haut du puits et il pouvait passer un ou deux ans en prison.

On nous gardait groupés par origine, parce que c'était leur façon de travailler, à ces Blancs. Les Swazis étaient tous réunis d'un côté, les Zoulous de l'autre, les Malawites encore ailleurs, et ainsi de suite. Chacun était avec son peuple et devait obéir au garçon-chef. Si un mineur refusait de l'écouter et que le garçon-chef allait se plaindre, on renvoyait le coupable ou on faisait en sorte que la police le frappe jusqu'à ce qu'il redevienne raisonnable.

Nous avions tous peur des Zoulous, même si j'avais moi-même un ami qui était un gentil Zoulou. Les Zoulous estimaient qu'ils valaient mieux que les autres et ils nous traitaient parfois de femmes. Quand il y avait de la bagarre, c'était toujours les Zoulous ou les Basatho qui se battaient, jamais les Batswana. Nous n'aimons pas la violence. Une fois, un Motswana ivre est entré par erreur dans un centre d'hébergement de Zoulous un samedi soir. Ils l'ont battu avec des *sjambok*[1] et l'ont étendu ensuite au milieu de la route pour qu'une voiture l'écrase. Par chance, la police est passée par là et l'a secouru ; sinon, il serait mort. Tout ça parce qu'il s'était aventuré dans le mauvais centre.

J'ai travaillé dans ces mines pendant des années et j'ai économisé tout mon argent. Les autres le dépensaient en femmes, en boisson ou en beaux vêtements. Moi, je n'ai jamais rien acheté, pas même un gramophone. J'envoyais l'argent chez moi, à la Standard Bank. Au bout d'un certain temps, j'ai pu acheter du bétail. Chaque année, je faisais l'acquisition de quelques vaches, que je confiais à mon cousin. Des veaux sont nés et, petit à petit, mon troupeau a grossi.

Je serais resté à la mine, je suppose, si je n'avais pas été témoin d'un acte abominable. Cela s'est passé alors que j'étais là depuis quinze ans. On m'avait donné un bien meilleur travail, j'étais devenu l'assistant d'un dynamiteur. Nous n'avions pas le droit de déclencher les explosions, bien sûr, c'était un travail que les Blancs gardaient pour eux, mais mon rôle consistait à transporter les explosifs et à aider mon chef à préparer les cordeaux. C'était un bon boulot et j'aimais beaucoup l'homme pour lequel je travaillais.

Un jour, il a oublié quelque chose dans un tunnel — sa gamelle, dans laquelle il emportait ses sandwiches — et il m'a demandé d'aller la chercher. Je suis donc reparti vers l'endroit où il avait travaillé. Le tunnel était éclairé par des ampoules électriques installées au plafond tout le long du trajet, de sorte que celui-ci était sûr. Mais il fallait tout de même faire attention, car, de temps à autre, on tombait sur de larges galeries qui

1. Gros fouets en cuir de rhinocéros. *(N.d.T.)*

avaient été ménagées dans la roche à la dynamite. Elles pouvaient faire jusqu'à soixante mètres de profondeur et s'ouvraient sur un côté du tunnel pour mener à un autre niveau de la mine, un peu comme des carrières souterraines. Il arrivait que des hommes tombent dans ces galeries, mais c'était toujours leur faute. Soit ils ne regardaient pas où ils marchaient, soit ils avançaient dans un tunnel non éclairé alors que les piles de la lampe de leur casque étaient faibles. Parfois, des hommes se lançaient dans le vide sans raison, ou parce qu'ils étaient malheureux et n'avaient plus envie de vivre. On ne pouvait jamais vraiment savoir : il y a beaucoup de tristesse dans le cœur d'un homme qui vit loin de son pays.

J'ai bifurqué dans le tunnel et je me suis retrouvé dans une sorte de grotte ronde. Au bout, il y avait une galerie, signalée par une pancarte. Au bord du trou, j'ai vu quatre hommes qui en tenaient un cinquième par les chevilles et les poignets. Au moment où j'arrivais, ils l'ont soulevé et l'ont jeté dans le vide. L'homme a hurlé, en xhosa, et j'ai entendu ce qu'il a dit. Il était question d'un enfant, mais je n'ai pas bien compris, parce que je ne suis pas très fort en xhosa. Et puis, plus rien.

Je suis resté pétrifié. Les hommes ne m'avaient pas encore vu, mais, tout à coup, l'un d'eux s'est retourné, il a crié quelque chose en zoulou et ils se sont tous rués dans ma direction. J'ai fait demi-tour et j'ai pris mes jambes à mon cou. Je savais que s'ils me rattrapaient je suivrais le même chemin que leur victime, au fond de la galerie. Ce n'était pas une course que je pouvais me permettre de perdre.

Je leur ai échappé, mais ces hommes m'avaient vu et ils me tueraient tôt ou tard. J'avais assisté à leur meurtre et je risquais de les dénoncer. J'ai compris que je ne pouvais plus rester à la mine.

J'ai parlé au dynamiteur. Il était bon et m'a écouté avec attention quand je lui ai expliqué que j'allais devoir m'en aller. Avec un autre Blanc, je n'aurais jamais pu dire tout ça, mais lui, il a compris.

Il a tout de même essayé de me convaincre d'avertir la police.

— Dis-leur ce que tu as vu, m'a-t-il dit en afrikaans. Raconte-leur. Comme cela, ils pourront arrêter ces hommes et les pendre.

— Je ne sais pas qui sont ces hommes, je ne les ai pas bien vus. Et de toute façon, ils m'attraperont avant. Je vais rentrer chez moi, là d'où je viens.

Il m'a regardé et a hoché la tête. Puis il m'a pris la main et l'a serrée. C'était la première fois qu'un Blanc me serrait la main. Alors, je l'ai appelé mon frère, et c'était la première fois que je disais ces mots-là à un Blanc.

— Va retrouver ta femme, m'a-t-il dit. Quand un homme reste trop longtemps loin de sa femme, elle commence à lui causer des problèmes. Crois-moi. Rentre chez toi et fais-lui d'autres enfants.

Ainsi ai-je quitté la mine, en secret, comme un voleur, et suis-je reparti au Botswana en 1960. Je ne peux pas vous dire à quel point mon cœur était gonflé de bonheur quand j'ai passé la frontière et que j'ai laissé pour toujours l'Afrique du Sud derrière moi. Dans ce pays, j'avais eu chaque jour l'impression que j'allais mourir. Le danger et le chagrin pèsent sur Johannesburg comme un gros nuage et je n'ai jamais pu être heureux là-bas. Au Botswana, c'était différent. On ne voyait pas de policiers avec des chiens en laisse, ni des *tsotsis*[1] armés de couteaux et s'apprêtant à vous dévaliser. On n'était pas réveillé chaque matin par des sirènes hurlantes qui vous ordonnaient de descendre au

1. Voleurs. *(N.d.T.)*

cœur de la terre brûlante. Il n'y avait pas les mêmes foules d'hommes venus de pays lointains, souffrant du mal du pays et rêvant d'être ailleurs. Je venais de quitter une prison, une prison immense et bruyante, inondée de soleil.

Quand je suis rentré chez moi cette fois-là, quand je suis descendu du bus et que j'ai vu le *kopje*[1], et la maison du chef, et les chèvres, je suis resté sans bouger et je me suis mis à pleurer. Un homme est venu vers moi, un homme que je ne connaissais pas, il a posé sa main sur mon épaule et m'a demandé si je venais des mines. Je lui ai dit que oui. Il s'est contenté de hocher la tête et a laissé sa main sur mon épaule jusqu'à ce que j'arrête de pleurer. Alors il m'a souri et s'est éloigné. Il avait vu ma femme arriver et ne voulait pas s'immiscer dans nos retrouvailles.

J'avais pris cette femme trois ans auparavant, mais nous ne nous étions pas beaucoup vus depuis le mariage. Je rentrais de Johannesburg une fois par an pendant un mois et notre vie de couple se résumait à cela. A la suite de ma dernière visite, elle était tombée enceinte et ma petite fille était née alors que j'étais là-bas. A présent, j'allais la voir : ma femme l'a amenée quand elle est venue me chercher au bus. Elle était là, avec l'enfant dans les bras, cet enfant qui, à mes yeux, avait plus de valeur que tout l'or que l'on tirait des mines à Johannesburg. C'était mon premier enfant, mon seul enfant, ma fille, ma Precious Ramotswe.

Precious ressemblait à sa mère, qui était une bonne grosse femme. Elle jouait devant la maison et riait aux éclats quand je la faisais sauter dans les airs. J'avais une vache qui donnait du bon lait et que je gardais près de chez nous pour Precious. Nous lui faisions aussi boire beaucoup de sirop, et elle mangeait des œufs tous

1. Petite colline. *(N.d.T.)*

les jours. Ma femme l'enduisait de vaseline et la massait pour que sa peau brille. Les gens disaient que c'était la plus jolie des petites filles du Bechuanaland et les femmes parcouraient des kilomètres pour venir l'admirer et la prendre dans leurs bras.

Et puis, ma femme, la mère de Precious, est morte. Nous habitions en bordure de Mochudi à cette époque et elle rendait souvent visite à une vieille tante qui vivait de l'autre côté de la voie ferrée, près de la route de Francistown. Elle lui apportait à manger, parce que cette femme était trop âgée pour faire la cuisine et qu'elle n'avait avec elle qu'un fils, qui souffrait de tuberculose et se déplaçait difficilement.

Je n'ai jamais su comment c'était arrivé. Certains disent que c'était à cause d'un orage qui se préparait et parce qu'il commençait à y avoir des éclairs, et qu'elle s'est mise à courir sans regarder où elle allait. Toujours est-il qu'elle se trouvait sur les rails quand le train de Bulawayo est arrivé et l'a percutée. Le conducteur était vraiment désolé, mais il ne l'avait pas vue du tout, et c'était sûrement vrai.

Une cousine à moi est venue s'occuper de Precious. Elle lui confectionnait des vêtements, l'emmenait à l'école et préparait nos repas. J'étais le plus triste des hommes et je pensais : « Maintenant, il ne te reste plus que Precious et ton bétail dans cette vie. » Dans mon chagrin, j'allais au poste de bétail pour voir comment allaient mes bêtes et pour payer les gardiens. Je possédais déjà un grand troupeau et j'avais même songé à le vendre pour acheter un commerce. Mais j'ai préféré attendre et laisser Precious acheter elle-même son magasin quand je serais mort. En plus, la poussière de la mine avait endommagé mes poumons et je ne pouvais ni marcher vite ni soulever des objets lourds.

Un jour, je revenais du poste de bétail et j'avais atteint la grande route qui relie Francistown à Gaborone. Il faisait très chaud et je m'étais assis à l'ombre, sur le bord de la route, pour attendre le bus qui devait passer un peu plus tard. Je me suis endormi à cause de la chaleur et j'ai été réveillé par le bruit d'une voiture qui s'arrêtait à ma hauteur.

C'était une grosse voiture, une voiture américaine, je crois, et un homme était assis à l'arrière. Le chauffeur est venu vers moi et m'a parlé en setswana, bien que la plaque d'immatriculation soit sud-africaine. Il m'a dit qu'il y avait une fuite dans son radiateur et m'a demandé si je savais où il pourrait trouver de l'eau. Il y avait justement un abreuvoir sur le sentier qui menait au poste de bétail ; je l'ai accompagné jusque-là et nous avons rempli un jerrican.

Quand nous sommes revenus à la voiture, l'homme assis à l'arrière est sorti et m'a regardé. Il m'a souri, pour me montrer qu'il était reconnaissant de mon aide, et je lui ai souri en retour. Mais, tout à coup, je me suis aperçu que je connaissais cet homme. C'était le directeur de toutes les mines de Johannesburg, l'un des hommes de Mr. Oppenheimer.

Je suis allé vers lui et je lui ai dit qui j'étais. Je lui ai expliqué que j'étais Ramotswe, celui qui avait travaillé dans ses mines, et que j'étais désolé d'avoir dû partir plus tôt que prévu, mais que c'était à cause de circonstances indépendantes de ma volonté.

Il s'est mis à rire et m'a répondu que c'était déjà très bien d'avoir travaillé tant d'années dans les mines. Il m'a proposé de monter dans sa voiture et m'a dit qu'il me ramènerait à Mochudi.

Ainsi suis-je arrivé à Mochudi en voiture et cet homme important est-il venu dans ma maison. Il a vu Precious et l'a trouvée très jolie. Puis, après avoir bu du thé, il a regardé sa montre.

— Je dois rentrer maintenant, a-t-il dit. Il faut que je retourne à Johannesburg.

Je lui ai dit que sa femme serait en colère s'il n'arrivait pas à l'heure pour manger le repas qu'elle lui avait préparé. Il m'a répondu que ce serait probablement le cas.

Il est sorti. L'homme de Mr. Oppenheimer a fouillé dans sa poche et en a tiré un portefeuille. Je me suis détourné : je ne voulais pas qu'il me donne de l'argent, mais il a insisté. Il m'a expliqué que j'avais travaillé pour Mr. Oppenheimer et que Mr. Oppenheimer aimait s'occuper de ses employés. Il m'a tendu deux cents rands, et je lui ai dit que je m'en servirais pour acheter un taureau, parce que je venais d'en perdre un.

Il a été très content. Je lui ai dit d'aller en paix et il m'a dit de rester en paix. Nous nous sommes quittés et je n'ai plus jamais revu cet ami, mais il est toujours là, dans mon cœur.

CHAPITRE III

Petites leçons sur les garçons et les chèvres

Obed Ramotswe installa sa cousine dans une chambre aménagée à l'arrière de la petite maison qu'il s'était construite, à son retour des mines, à l'extrémité du village. A l'origine, la pièce devait servir de remise pour entreposer des malles en fer, des couvertures et des provisions d'huile de paraffine, que l'on utilisait pour la cuisine, mais il y avait de la place pour tout cela ailleurs. Lorsqu'on eut ajouté un lit et une petite armoire et recouvert les murs d'une couche de blanc de chaux, l'endroit se révéla parfait. Du point de vue de la cousine, c'était même un luxe qui dépassait presque l'imagination. Après le départ de son mari, six ans plus tôt, elle était en effet retournée vivre chez sa mère et sa grand-mère. Celles-ci l'avaient reléguée dans une pièce qui n'avait que trois murs, dont l'un n'atteignait pas tout à fait le toit. Elles l'avaient traitée avec mépris, car, ayant conservé les vieux préjugés, elles estimaient qu'une femme abandonnée par son mari méritait presque toujours son sort. Elles ne lui avaient pas fermé leur porte, bien sûr, mais l'avaient accueillie plus par devoir que par affection.

Son mari l'avait quittée parce qu'elle était stérile ; une femme privée d'enfants devait s'attendre à un tel sort. Auparavant, elle avait dépensé le peu d'argent dont elle disposait en consultations de guérisseurs traditionnels. L'un d'eux lui avait promis qu'elle concevrait après quelques mois de traitement. Il lui avait administré toutes sortes d'herbes et d'écorces en poudre, puis, voyant que rien ne fonctionnait, il s'était tourné vers la magie. Plusieurs de ses potions avaient rendu la jeune femme malade et l'une d'elles avait même manqué de la tuer, ce qui n'avait rien d'étonnant compte tenu de sa composition, mais la stérilité avait subsisté et le mari, perdu patience. Peu après son départ, il lui avait écrit de Lobatse pour lui annoncer avec fierté que sa nouvelle femme était enceinte. Un an et demi plus tard, une courte lettre lui était parvenue, accompagnée d'une photographie de l'enfant. Il n'y avait pas d'argent dans l'enveloppe. Ce fut la dernière fois qu'elle reçut des nouvelles de lui.

A présent, tandis qu'elle tenait Precious dans ses bras, debout dans sa chambre aux quatre murs blancs robustes, son bonheur était complet. Elle autorisait Precious, désormais âgée de quatre ans, à dormir avec elle dans son lit et restait éveillée de longues heures pour écouter la respiration de la fillette. Elle lui caressait la peau, tenait sa petite main entre ses doigts et s'émerveillait de la perfection de ce corps d'enfant. Quand, dans la chaleur de l'après-midi, Precious faisait la sieste, elle s'asseyait auprès d'elle, tricotant ou cousant de minuscules vestes et des chaussettes rouges ou bleu vif et chassant les mouches de l'enfant endormie.

Obed, lui aussi, était satisfait. Chaque semaine, il donnait à sa cousine de l'argent pour les courses et il y ajoutait chaque mois une petite somme pour ses dépenses personnelles. Elle gérait bien ces ressources, de sorte qu'il lui restait toujours un peu d'argent, qu'elle dépensait à gâter Precious. Jamais il n'eut le moindre reproche à lui adresser, jamais il ne la prit en défaut dans l'éducation de la fillette. Tout était parfait.

La cousine voulait que Precious soit intelligente. Elle-même n'avait reçu qu'une éducation très limitée, mais elle s'était efforcée d'apprendre à lire et continuait de le faire. Depuis peu, elle entrevoyait des possibilités de changement. Il existait un parti politique auquel les femmes pouvaient adhérer, même si quelques hommes regardaient cela d'un mauvais œil, estimant que c'était chercher les ennuis. Les femmes commençaient à parler entre elles de leur condition. Aucune ne remettait ouvertement en cause l'autorité masculine, bien sûr, mais lorsqu'elles discutaient, il y avait des murmures et des échanges de regards. La cousine pensait à sa propre existence : à son mariage précoce avec un homme qu'elle connaissait à peine et à la honte de ne pouvoir mettre au monde un enfant. Elle se souvenait de ces années passées entre les trois murs de sa chambre et des besognes qu'on lui imposait sans la payer. Un jour, les femmes pourraient faire entendre leur voix, peut-être, et elles diraient ce qui n'allait pas. Mais pour cela, il fallait savoir lire.

Elle commença par apprendre à compter à Precious. Ensemble, elles comptaient les chèvres et le bétail. Elles comptaient les garçons qui jouaient dans la poussière. Elles comptaient les arbres, donnant un nom à chacun d'eux : l'arbre tordu, l'arbre sans feuilles, celui où les vers de mopane aiment se cacher, celui où les oiseaux ne se posent jamais. Puis elle disait : « Si on coupe celui qui ressemble à un vieillard, combien reste-t-il d'arbres ? » Elle incitait Precious à mémoriser des listes : les noms des membres de la famille, ceux des vaches que possédait jadis son grand-père, ceux des chefs. Parfois, elles allaient s'asseoir devant la petite Épicerie du Juste Prix, et attendaient qu'un camion ou une voiture passe cahin-caha sur la route criblée de nids-de-poule. Alors la cousine disait tout haut le numéro de la plaque minéralogique et Precious devait s'en souvenir le lendemain quand elle le lui demandait, et même le surlendemain. Elles jouaient aussi à toutes sortes de jeux de Kim : la cousine posait sur un plateau d'osier plusieurs objets familiers, qu'elle recouvrait d'un tissu avant d'en retirer un.

— Qu'est-ce que j'ai enlevé du plateau ?

— Un vieux pépin de marula, tout tordu et mâchouillé.

— Et quoi d'autre ?

— Rien.

Elle ne se trompait jamais, cette fillette qui observait tout et tout le monde de ses grands yeux solennels. Et peu à peu, sans que personne l'ait prévu, les qualités de curiosité et d'attention grandirent dans son esprit.

Lorsque, à l'âge de six ans, Precious entra à l'école, elle connaissait son alphabet, savait compter jusqu'à deux cents et pouvait réciter le premier chapitre de la Genèse dans sa traduction setswana. Elle avait aussi appris quelques mots d'anglais et pouvait déclamer les quatre vers d'un poème anglais qui parlait de bateaux et de la mer. L'institutrice fut impressionnée et félicita la cousine pour ce qu'elle avait accompli. C'était la première fois que celle-ci recevait un compliment. Obed l'avait remerciée, certes, et ce à maintes reprises et avec générosité, mais il ne lui était jamais venu à l'idée de la complimenter, car, pour lui, elle ne faisait que son devoir de femme et cela n'avait rien d'exceptionnel.

« Nous sommes les premières à avoir labouré la terre quand Modise (Dieu) l'a créée, disait un vieux poème setswana. C'était nous qui préparions la nourriture. C'est nous qui nous occupons des hommes quand ils sont petits, quand ils deviennent grands, puis quand ils vieillissent et approchent de la mort. Nous sommes toujours là. Seulement nous ne sommes que des femmes, et personne ne nous voit. »

Mma Ramotswe pensait : Dieu nous a placés sur cette terre. Nous étions tous africains en ce temps-là, au commencement, parce que l'homme a fait ses débuts au Kenya, comme l'ont démontré le Dr Leakey et son père. Alors, si l'on y réfléchit bien, nous sommes tous frères et sœurs. Et pourtant, partout où l'on tourne les yeux, que voit-on ? De la bagarre, de la bagarre, et encore de la bagarre ! Des riches qui tuent des pauvres, des pauvres qui tuent des riches... Partout, sauf au Botswana. Et cela grâce à Sir Seretse Khama, qui était un homme de bien et qui a inventé le Botswana et en a fait un bon pays. Elle le pleurait encore, quelquefois, lorsqu'elle pensait à lui et à ce qu'il avait enduré à la fin de sa vie, lorsqu'il était malade et que les grands docteurs de Londres disaient au gouvernement : « Nous sommes désolés, mais nous ne pouvons pas guérir votre président. »

Le problème, bien sûr, était que les gens ne semblaient pas comprendre la différence entre le bien et le mal. Il fallait la leur rappeler sans cesse : si on leur faisait confiance dans ce domaine, ils ne s'en souciaient pas. Ils se contentaient de se demander ce qui était préférable pour eux et qualifiaient cela de bien. Beaucoup de gens raisonnaient de cette façon.

Precious Ramotswe avait appris les notions de bien et de mal au catéchisme. La cousine l'y avait amenée dès l'âge de six ans et elle y était allée tous les dimanches, sans jamais manquer, jusqu'à onze ans. Cela lui avait suffi pour apprendre tout ce qu'il faut savoir sur le bien et le mal, mais elle s'était posé des questions — et continuait de s'en poser — quant à certains autres aspects de la religion. Elle ne pouvait croire, par exemple, que Jésus avait marché sur l'eau — c'est une chose qu'on ne peut pas faire —, pas plus qu'elle ne croyait à la multiplication des pains, qui était tout aussi impossible. Il s'agissait de mensonges, elle en était persuadée, dont le plus énorme était que Jésus n'avait pas de père sur cette terre. C'était faux, parce que même un enfant sait qu'il faut un père pour faire un bébé, et que cette règle s'applique aussi bien au bétail qu'aux volailles et aux êtres humains. En revanche, pour ce qui était du bien et du mal, elle n'avait rencontré aucune difficulté à comprendre qu'il ne faut ni mentir, ni voler, ni tuer.

Les personnes qui avaient besoin de lignes directrices claires ne pouvaient trouver meilleur guide que Mma Mothibi, qui s'occupait du catéchisme depuis plus de douze ans. C'était une petite dame toute ronde qui parlait d'une voix exceptionnellement grave. Elle apprenait aux enfants des hymnes, en setswana et en anglais, et comme elle était leur professeur de chant, tout le chœur chantait une octave plus bas que la normale, un peu à la manière des grenouilles.

Vêtus de leurs plus beaux vêtements, les enfants s'asseyaient en rang au fond de l'église à la fin de l'office et Mma Mothibi leur donnait la leçon. Elle leur lisait la Bible, leur faisait réciter les dix commandements plusieurs fois d'affilée et leur contait des histoires pieuses tirées d'un petit livre bleu qui, disait-elle, venait de Londres et dont elle détenait l'unique exemplaire du pays.

— Voici les règles à suivre pour être bon, entonnait-elle. Un garçon doit toujours se lever tôt et réciter ses prières. Puis il doit nettoyer ses chaussures et aider sa mère à préparer le petit déjeuner familial, s'il y en a un. Certaines personnes n'en prennent pas parce qu'elles sont pauvres. Ensuite, il doit aller à l'école et faire tout ce que son maître lui dit. De cette façon, il apprendra à devenir un petit chrétien intelligent qui ira au paradis plus tard, quand Dieu le rappellera à Lui.

Pour les filles, les règles sont les mêmes, mais elles doivent en plus faire attention aux garçons et se tenir prêtes à leur dire qu'elles sont chrétiennes. Certains garçons ont du mal à le comprendre...

Oui, pensait Precious Ramotswe. Certains garçons ne comprennent pas du tout cela, et même là, au catéchisme, il y en avait un, Josiah, qui n'était pas bon, bien qu'il n'eût que neuf ans. Il insistait pour s'asseoir à côté de Precious, même quand celle-ci cherchait à l'éviter. Il la regardait toujours avec un petit sourire engageant, quoiqu'elle eût deux ans de plus que lui. Il s'arrangeait aussi pour que leurs jambes se touchent, ce qui la mettait en colère et la faisait se dandiner sur son siège pour s'écarter de lui.

Mais le pire de tout, c'est qu'il déboutonnait la braguette de son pantalon et montrait cette chose qu'ont les garçons en espérant qu'elle allait regarder. Elle n'aimait pas cela, car un tel incident n'aurait jamais dû survenir au catéchisme. Et puis, qu'est-ce que cette chose avait de si extraordinaire ? Tous les garçons en avaient une.

Elle finit par en parler à Mma Mothibi, qui l'écouta gravement.

— Les garçons, les hommes, dit-elle, ils sont tous les mêmes. Ils pensent que cette chose est extraordinaire et ils en sont tous très fiers. Ils ne savent pas à quel point c'est ridicule.

Elle demanda à Precious de la prévenir la prochaine fois que cela se produirait. Il lui suffirait de lever un peu la main, et Mma Mothibi la verrait. Ce serait le signal.

Cela se produisit la semaine suivante. Alors que Mma Mothibi se tenait au fond de la classe, regardant les cahiers de catéchisme que les enfants avaient ouverts devant eux, Josiah défit un bouton et souffla à Precious qu'elle devait regarder. Elle garda les yeux sur son cahier et leva légèrement sa main gauche. Josiah ne pouvait le remarquer, bien sûr, mais Mma Mothibi, elle, s'en aperçut. A pas de loup, elle vint se placer derrière le garçon et leva sa Bible en l'air. Puis elle la laissa lourdement retomber sur la tête de Josiah, ce qui produisit un bruit sourd qui fit sursauter tous les enfants.

Josiah s'affaissa sous le choc. Alors, Mma Mothibi se posta devant lui et désigna la braguette ouverte. Puis elle souleva de nouveau sa Bible et le frappa une seconde fois sur le sommet du crâne, avec plus de force encore qu'auparavant.

Ce fut la dernière fois que Josiah importuna Precious Ramotswe, ou toute autre fille, d'ailleurs. De son côté, Precious avait appris une importante leçon sur la façon dont il convenait de traiter avec les hommes. Cette leçon lui resta en mémoire et se révéla fort utile par la suite, comme toutes les leçons apprises au caté-chisme.

Le départ de la cousine

La cousine veilla sur Precious durant les huit pre-mières années de l'enfant. Elle aurait pu rester indéfi-niment, ce qui n'aurait pas dérangé Obed, dans la mesure où elle tenait la maison, ne se plaignait pas et ne lui réclamait jamais d'argent. Lorsque le moment fut venu, toutefois, il reconnut qu'elle pouvait éprou-ver des problèmes d'amour-propre et avoir envie de se remarier, malgré ce qui s'était passé la première fois. Aussi donna-t-il sa bénédiction dès que la cousine lui annonça qu'elle avait rencontré un homme, que celui-ci l'avait demandée en mariage et qu'elle avait accepté.

— Je pourrais prendre Precious avec moi, suggéra-t-elle. Elle est comme ma fille maintenant. Seulement, il y a toi...

— Oui, répondit Obed. Il y a moi. Me prendrais-tu aussi avec toi ?

La cousine se mit à rire.

— Mon nouveau mari est riche, mais je pense qu'il ne souhaite épouser qu'une seule personne.

Obed s'occupa des préparatifs du mariage, parce qu'il était le plus proche parent de la cousine et que ce rôle lui incombait. Il le fit de bon cœur, en raison du dévouement qu'elle lui avait témoigné. Il fit tuer deux bœufs et brasser suffisamment de bière pour deux cents personnes. Puis, avec la cousine à son bras, il pénétra dans l'église et vit le nouveau mari et sa famille, des cousins éloignés et leurs amis, des habitants du village, invités ou non, qui attendaient et observaient.

Après la cérémonie du mariage, tout le monde revint à la maison. On avait tendu des bâches en toile entre des robiniers et disposé des chaises prêtées par les uns et les autres. Les vieillards s'assirent, les jeunes flânèrent et bavardèrent entre eux en humant l'air chargé de la bonne odeur de la viande qui grésillait sur les feux de bois. Puis on mangea et Obed prononça un discours de remerciements en l'honneur de la cousine et du nouveau mari, et ce dernier répondit qu'il était reconnaissant à Obed de s'être si bien occupé de cette femme.

Le nouveau mari possédait deux bus, de sorte qu'il était riche. L'un d'eux, le Molepolole Special Express, contraint d'assurer son service même le jour du mariage, avait été décoré de tissu bleu vif pour l'occasion. Ils partirent dans le second à l'issue de la fête, le mari au volant, la mariée assise juste derrière lui. Il y eut des cris de joie, des youyous de femmes, et le bus s'en fut sur la route du bonheur.

Le couple s'installa à quinze kilomètres au sud de Gaborone, dans une maison de brique que le frère du nouveau mari avait construite pour lui. Elle avait un toit rouge et des murs blancs, ainsi qu'une cour de style traditionnel fermée par un mur d'enceinte sur le devant. A l'arrière, une petite hutte était prévue pour un domestique, avec des latrines en fer-blanc galvanisé en appentis. La cousine disposait d'une cuisine équipée de deux gazinières et d'une batterie de casseroles neuves étincelantes. Elle avait aussi un grand réfrigérateur fonctionnant au pétrole, importé d'Afrique du Sud, qui ronronnait doucement tout au long de la journée et conservait au froid tout ce qu'on y mettait. Chaque soir, son mari revenait avec la recette de ses bus et elle l'aidait à compter l'argent. Elle se révéla excellente comptable et, très vite, ce fut elle qui assuma cette partie du travail avec une remarquable facilité.

Elle faisait également le bonheur de son mari de bien d'autres façons. Petit, il avait été mordu au visage par un chacal et conservait des cicatrices là où un médecin débutant de l'Hôpital de la Mission Écossaise de Molepolole avait mal recousu les plaies. Jamais encore une femme ne lui avait dit qu'il était beau, et jamais il n'avait rêvé que cela arriverait, étant plutôt habitué aux grimaces de compassion. La cousine, elle, affirmait qu'il était le plus bel homme qu'elle eût jamais rencontré, et le plus viril aussi. Il ne s'agissait pas de flatterie : c'était la vérité telle qu'elle la voyait, et il avait le cœur comblé de cette chaleur qui naît d'un compliment bien envoyé.

Je sais que je te manque, écrivit la cousine à Precious. *Mais je sais aussi que tu souhaites mon bonheur. Je suis très heureuse en ce moment. J'ai un mari très gentil, qui m'a acheté de magnifiques vêtements et*

me rend heureuse jour après jour. Plus tard, tu vien-
dras vivre avec nous et nous pourrons compter de nou-
veau les arbres et chanter des cantiques toutes les
deux, comme nous l'avons toujours fait. A présent, tu
dois t'occuper de ton père, parce que tu es en âge de le
faire et que c'est un homme bon, lui aussi. Je veux que
tu sois heureuse et c'est cela que je demande chaque
soir dans mes prières. Que Dieu veille sur Precious
Ramotswe. Que Dieu la protège cette nuit, et à jamais.
Amen.

Les chèvres

Petite, Precious Ramotswe aimait dessiner et la cousine l'avait encouragée dans cette activité dès son plus
jeune âge. Pour son dixième anniversaire, elle reçut un
carnet à croquis et une boîte de crayons de couleur, et
son talent devint très vite manifeste. Obed Ramotswe
était très fier de l'aptitude de sa fille à remplir les
pages vierges du carnet de scènes de la vie quotidienne
à Mochudi. Ici, elle représentait le réservoir devant
l'hôpital — il était tout à fait reconnaissable —, là, la
surveillante générale de l'hôpital en train d'observer
un âne. Et sur cette page-là, on voyait la petite Épicerie
du Juste Prix, avec, devant, des formes qui pouvaient
être soit des sacs de maïs, soit des gens assis — c'était
difficile à dire. Les dessins étaient excellents et il en
avait déjà accroché plusieurs aux murs du salon, très
haut, près du plafond, là où les mouches ont coutume
de se poser.

Les institutrices connaissaient ses aptitudes et affir-
maient qu'elle deviendrait peut-être une grande artiste,
et que ses dessins illustreraient alors la couverture du
calendrier du Botswana. Cela l'encourageait et les croquis se succédaient. Chèvres, bétail, collines, potirons,

maisons... Il existait tant de choses à Mochudi pour les yeux de l'artiste qu'elle ne risquait guère de tomber en panne de sujets.

Un jour, l'école eut vent d'un concours de dessin organisé pour les enfants. Le musée de Gaborone demandait à chaque établissement du pays de sélectionner un dessin d'élève, sur le thème de « La vie au Botswana aujourd'hui ». Bien entendu, on n'eut aucune hésitation quant à l'élève qui serait choisie dans l'école. On demanda à Precious de réaliser un dessin exceptionnel — en prenant tout son temps —, que l'on enverrait à Gaborone afin de représenter Mochudi.

Elle fit son dessin un samedi. Elle partit de bon matin avec son carnet à croquis et revint quelques heures plus tard pour parfaire les détails à l'intérieur. C'était un très beau dessin, pensait-elle, et son institutrice se montra enthousiaste quand elle le lui apporta le lundi suivant.

— Ce dessin fera gagner le prix à Mochudi, affirma-t-elle. Tout le monde sera fier.

Le dessin fut soigneusement placé entre deux feuilles de carton ondulé et envoyé au musée par la poste, en recommandé. Puis le silence dura cinq semaines, au cours desquelles plus personne ne songea au concours. Ce fut seulement quand le principal reçut une lettre et que, tout sourire, il vint la lire à Precious, qu'on s'en souvint.

— Tu as remporté le premier prix, dit-il. Tu vas aller à Gaborone avec ton institutrice, ton père et moi, pour que le ministre de l'Éducation te le remette au cours d'une cérémonie spéciale.

C'en était trop pour elle et elle éclata en sanglots, mais elle se calma vite et fut autorisée à quitter l'école plus tôt pour courir annoncer la nouvelle à son père.

Ils descendirent à Gaborone dans la camionnette du

principal et arrivèrent bien trop tôt pour la cérémonie. Ils passèrent donc plusieurs heures assis dans la cour du musée, à attendre l'ouverture des portes. Enfin, ils purent entrer et d'autres gens affluèrent : des professeurs, des journalistes, des membres du corps législatif. Puis ce fut le ministre qui arriva dans une voiture noire ; alors chacun reposa son verre de jus d'orange et termina son sandwich à la hâte.

Elle vit son dessin exposé en bonne place sur une cloison et remarqua une petite carte épinglée au-dessous. Elle s'approcha avec son institutrice pour l'examiner et, le cœur battant, y lut son nom proprement dactylographié : Precious Ramotswe (10 ans, École d'État de Mochudi). Et, également en caractères d'imprimerie, elle découvrit le titre que le musée avait donné à l'œuvre : *Vaches près d'un réservoir*.

Elle se figea, horrifiée. Ce n'était pas vrai. Elle avait dessiné des chèvres et ils les avaient prises pour des vaches ! Elle obtenait un prix pour un dessin de bestiaux, par erreur !

— Qu'est-ce qui ne va pas ? lui demanda son père. Tu devrais être très heureuse. Pourquoi as-tu l'air triste ?

Elle ne put répondre. Elle allait devenir un malfaiteur, se rendre coupable de fraude. Elle ne pouvait accepter un prix pour un dessin de vaches alors qu'elle ne le méritait pas.

Déjà, le ministre se tenait près d'elle et se préparait à prononcer son discours. Elle leva les yeux vers lui et il lui adressa un chaleureux sourire.

— Tu es une très bonne artiste, dit-il. Mochudi doit être fière de toi.

Elle baissa les yeux sur ses chaussures. Il fallait qu'elle avoue.

— Ce n'est pas un dessin de vaches, dit-elle. C'est un dessin de chèvres. Vous ne pouvez pas me donner un prix pour une erreur.

Le ministre fronça les sourcils et examina l'étiquette. Puis il se tourna vers elle et dit :

— L'erreur, ce sont eux qui l'ont faite. Je pense moi aussi qu'il s'agit de chèvres. On ne dirait pas du tout des vaches.

Il s'éclaircit la gorge et le directeur du musée réclama le silence.

— Cet excellent dessin de chèvres, déclara le ministre, montre le talent de nos enfants dans ce pays. Cette jeune fille grandira et deviendra une bonne citoyenne, et peut-être une artiste célèbre. Elle mérite ce prix, que je vais à présent lui décerner.

Elle saisit le paquet enrubanné qu'il lui tendait, sentit sa main sur son épaule et l'entendit murmurer : « Tu es la petite fille la plus honnête que j'aie jamais rencontrée. Bravo ! »

Puis la cérémonie s'acheva et, peu après, ils rentrèrent à Mochudi dans la vieille camionnette du principal, retour d'une héroïne distinguée par un prix.

CHAPITRE IV

La vie chez la cousine et le mari de la cousine

A l'âge de seize ans, Mma Ramotswe quitta l'école. (« La jeune fille la plus méritante de cet établissement, affirma le principal dans son discours. Et l'une des plus méritantes du Botswana. ») Son père aurait voulu la voir continuer, passer son certificat de Cambridge et aller même au-delà, mais Mma Ramotswe en avait assez de Mochudi. Elle en avait assez de travailler à la petite Épicerie du Juste Prix, où elle venait chaque samedi faire l'inventaire et cocher pendant des heures des articles sur des listes écornées. Elle voulait partir quelque part. Elle voulait que sa vie commence.

— Tu peux aller chez ma cousine, lui proposa son père. C'est un endroit très différent d'ici. Je pense que tu trouveras qu'il se passe des tas de choses dans cette maison.

Une telle suggestion lui coûtait. Il avait envie qu'elle reste, qu'elle s'occupe de lui, mais savait qu'il serait égoïste de lui demander de centrer sa vie autour de lui. Elle rêvait de liberté, voulait sentir qu'elle faisait quelque chose de son existence. Et, bien sûr, il gardait à l'esprit la perspective d'un mariage. Dans très peu de temps, il le savait, il y aurait des jeunes gens qui demanderaient sa main.

Jamais il ne s'y opposerait, bien sûr. Mais que faire

si l'homme qui voulait l'épouser était un brutal ou ivrogne ou coureur de jupons? Tout cela était possible: il existait un grand nombre d'individus de ce genre, qui espéraient piéger une fille séduisante dont ils pourraient ensuite détruire lentement la vie. Ces hommes-là étaient des sangsues: ils suçaient tout ce qu'il y avait de bon dans le cœur de la femme jusqu'à l'assécher, et jusqu'à ce que l'amour qu'elle portait en elle se tarisse. Cela prenait du temps, il le savait, parce que les femmes semblent renfermer de vastes réserves de bonté.

Si l'un de ces hommes réclamait Precious, que pourrait-il faire, lui, un père? Il l'avertirait du risque, mais écoute-t-on les mises en garde quand on aime? Il avait vu cela bien des fois: l'amour est une forme de cécité qui ferme les yeux et empêche de reconnaître les défauts les plus criants. On peut être amoureuse d'un assassin et se refuser à croire qu'il est capable de faire plus de mal qu'écraser une tique. Alors tuer... Tenter de la dissuader serait inutile.

La maison de la cousine serait aussi sûre que n'importe quel autre endroit, même si elle ne pourrait préserver Precious des hommes. Au moins, la cousine garderait un œil sur sa nièce et son mari serait là pour chasser les garçons les moins convenables. Il était riche à présent, possédait cinq ou six bus et jouissait de l'autorité des riches. Il serait capable d'en envoyer quelques-uns faire leurs bagages.

La cousine fut heureuse d'accueillir Precious sous son toit. Elle lui prépara une chambre, accrochant des rideaux neufs en épais tissu jaune acheté chez OK Bazaars lors d'une excursion-shopping à Johannesburg. Puis elle remplit de vêtements une commode, sur laquelle elle posa un portrait encadré du pape. Le sol fut recouvert d'une natte en raphia ornée de motifs simples. C'était une chambre claire et confortable.

Precious s'installa vite dans ses nouvelles habitudes. On lui donna un travail au bureau de la compagnie de bus, où elle additionnait les factures et vérifiait les chiffres fournis par les chauffeurs. Elle se montrait rapide dans cette tâche, et le mari de la cousine s'aperçut qu'elle abattait autant de besogne que les deux autres employés réunis. Ceux-ci restaient toute la journée assis à leur bureau à bavarder, déplaçant parfois des factures d'un côté à l'autre de la table, se levant pour aller mettre la bouilloire à chauffer.

Avec sa bonne mémoire, Precious n'éprouvait aucune difficulté à se souvenir de tout ce qu'on lui expliquait et à le mettre en pratique sans jamais se tromper. Elle aimait également faire des suggestions, et pas une semaine ne passait sans qu'elle proposât une nouvelle idée pour accroître l'efficacité du bureau.

— Tu travailles trop dur, lui dit l'un des employés. Tu essaies de nous prendre notre emploi.

Precious le contempla bouche bée. Elle avait toujours travaillé au maximum de ses possibilités dans tout ce qu'elle faisait et ne comprenait absolument pas que l'on puisse se comporter autrement. Comment ces deux-là faisaient-ils pour rester assis, le regard dans le vague, alors qu'ils pourraient être en train d'additionner des chiffres ou de vérifier les registres des chauffeurs ?

Elle-même procédait à des vérifications, même quand on ne le lui demandait pas, et si la plupart du temps les chiffres correspondaient, il lui arrivait de découvrir une inexactitude. Cela se produisait quand les chauffeurs rendaient mal la monnaie, lui expliqua la cousine. On pouvait le comprendre quand le bus était bondé, et tant que les sommes n'étaient pas trop importantes, on fermait les yeux. Toutefois, Precious découvrit davantage que cela. Elle s'aperçut d'une différence d'un peu plus de deux mille pula [1] dans les factures de gas-oil et elle attira l'attention du mari de sa cousine sur le problème.

— Tu en es sûre? demanda-t-il. Comment peut-il manquer deux mille pula?

— Un vol? suggéra Precious.

Le mari de la cousine secoua la tête. Il se considérait comme un patron modèle. Paternaliste, certes, mais n'était-ce pas là ce que les hommes aimaient? Il ne pouvait croire que l'un de ses employés fût capable de tricher à ses dépens. Comment était-ce possible, alors qu'il se montrait si bon à leur égard et qu'il faisait tant pour eux?

Precious lui montra comment l'argent avait été volé et ils reconstituèrent ensemble la façon dont les sommes avaient été déplacées d'un compte sur un autre, pour disparaître ensuite purement et simplement. Un seul des employés avait accès à ces fonds, aussi devait-il s'agir de lui : il ne pouvait y avoir d'autre explication.

Elle n'assista pas à la confrontation, mais entendit les éclats de voix de la pièce voisine. L'employé était indigné, il hurlait d'une voix suraiguë que ce n'était pas vrai. Puis le silence se fit et une porte claqua peu après.

Ce fut sa première affaire. Ce fut le véritable début de la carrière de Mma Ramotswe.

L'arrivée de Note Mokoti

Elle travailla quatre ans au bureau des bus. La cousine et son mari s'habituèrent à sa présence et se mirent à l'appeler leur fille. Cela ne la dérangeait pas :

1. Unité monétaire du Botswana, signifie « pluie » en setswana. (N.d.T.)

ils étaient sa famille et elle les aimait. Elle aimait la cousine, même si celle-ci continuait à la traiter comme une enfant et à la réprimander en public. Elle aimait le mari de sa cousine, avec son triste visage barré de cicatrices et ses grandes mains de mécanicien. Elle aimait la maison et sa chambre aux rideaux jaunes. C'était une belle vie qu'elle s'était faite.

Chaque week-end, elle se rendait à Mochudi dans un bus du mari de la cousine pour aller voir son père. Il l'attendait devant la maison, assis sur son tabouret. Elle lui faisait la révérence, à la mode d'autrefois, et tapait dans ses mains.

Ensuite, ils mangeaient ensemble, assis à l'ombre de la véranda qu'il avait construite sur un côté de la maison. Elle lui racontait l'activité de la semaine dans le bureau des bus et il enregistrait chaque détail, demandant des noms, qu'il reliait ensuite à des généalogies compliquées. Tout le monde était, d'une manière ou d'une autre, parent de quelqu'un. Il n'existait personne qui ne pût trouver sa place dans un recoin éloigné d'un arbre généalogique.

C'était la même chose avec le bétail. Les vaches avaient leur famille, et lorsque Precious cessait de parler, son père lui donnait des nouvelles des bêtes. Même s'il n'allait plus très souvent jusqu'au poste de bétail, on lui faisait chaque semaine un compte rendu et il suivait ainsi la vie de ses bêtes par l'intermédiaire des gardiens de troupeau. Il possédait un don pour l'élevage, une mystérieuse aptitude à détecter chez les nouveau-nés des caractéristiques qui s'épanouiraient à l'âge mûr. Il pouvait dire, d'un seul coup d'œil, si un veau d'apparence chétive — et donc vendu à bas prix — était susceptible de se développer et d'engraisser. Et il misait sur son flair en achetant de tels animaux, qu'il transformait ensuite en beaux bestiaux bien gras (si les pluies étaient bonnes).

Pour lui, les gens ressemblaient à leurs bêtes. Les vaches maigres et malheureuses avaient des propriétaires maigres et malheureux. Les indolentes — celles qui erraient sans but dans le pré — appartenaient à des gens qui ne parvenaient pas à fixer leur attention. Et les gens malhonnêtes, affirmait-il, avaient du bétail malhonnête, des bêtes qui volaient la nourriture aux autres ou essayaient de se fondre dans un autre troupeau.

Obed Ramotswe était un juge sévère — des hommes et des animaux — et elle se prit à penser : Que dira-t-il quand il apprendra l'existence de Note Mokoti ?

Elle avait rencontré Note Mokoti dans le bus, au retour de Mochudi. Il venait de Francistown et était installé à l'avant, son étui à trompette posé sur le siège à côté de lui. Elle ne put s'empêcher de le remarquer, avec sa chemise rouge et son pantalon en crépon de coton, ni manquer d'admirer ses pommettes hautes et ses sourcils arqués. C'était un visage fier, le visage d'un homme habitué à être regardé et apprécié, et elle baissa immédiatement les yeux. Elle ne voulait pas qu'il pense qu'elle l'observait, même si elle continuait à lui lancer de petits coups d'œil à la dérobée. Qui était-il ? Un musicien, puisqu'il y avait cet étui près de lui. Un homme intelligent de l'université, peut-être ?

Le bus s'arrêta à Gaborone avant de poursuivre vers le sud, sur la route de Lobatse. Elle resta assise et le vit se lever. Il rectifia le pli de son pantalon, puis se tourna vers l'intérieur du bus. Elle sentit son cœur bondir. C'était elle qu'il avait regardée. Non, pas du tout, il avait simplement jeté un coup d'œil par la fenêtre.

Soudain, sans réfléchir, elle se leva à son tour et saisit son sac sur le porte-bagages. Elle descendrait, non parce qu'elle avait quelque chose à faire à Gaborone, mais pour voir où il allait. Il avait déjà quitté le bus et elle se pressa, murmurant une vague explication à l'adresse du chauffeur, employé du mari de la cousine. Dans la foule, sous le soleil de cette fin d'après-midi pleine d'odeurs de poussière et de voyageurs en sueur, elle regarda autour d'elle et le vit, arrêté non loin. Il avait acheté du maïs grillé à un marchand ambulant et le mangeait, traçant des lignes avec ses dents le long de l'épi. De nouveau, elle éprouva cette sensation dérangeante et demeura immobile, comme une étrangère qui ne sait quelle direction prendre.

Il la regarda et elle se détourna, troublée. S'était-il aperçu qu'elle l'observait ? Peut-être. Elle releva les yeux, lançant un rapide regard dans sa direction et, cette fois, il lui sourit en haussant les sourcils. Puis, jetant l'épi de maïs, il saisit son étui à trompette et s'approcha. Elle demeura pétrifiée, incapable de s'enfuir, hypnotisée comme une proie face à un serpent.

— Je vous ai vue dans ce bus, dit-il. Il m'a semblé vous avoir déjà rencontrée quelque part, mais non.

Elle baissa les yeux vers le sol.

— Moi, je ne vous ai jamais vu, répondit-elle. Jamais.

Il sourit. Il n'était pas intimidant, pensa-t-elle, et elle sentit une partie de sa gêne la quitter.

— On croise forcément les gens de ce pays une ou deux fois dans sa vie, dit-il. Ce ne sont jamais des étrangers.

Elle hocha la tête.

— C'est vrai.

Il y eut un silence. Puis il désigna l'étui posé à ses pieds.

— Vous savez, ça, c'est une trompette. Je suis musicien.

Elle regarda l'étui. Il portait un autocollant : le croquis d'un homme jouant de la guitare.

— Vous aimez la musique ? demanda-t-il. Le jazz ?
Elle releva la tête et vit qu'il lui souriait toujours.

— Oui. J'aime la musique.

— Je joue dans un orchestre, dit-il. Nous nous pro-duisons au bar de l'hôtel *Président*. Vous pourriez venir nous écouter. J'y vais maintenant.

Ils marchèrent ensemble vers le bar, qui se trouvait à dix minutes de la station de bus. Il lui paya une boisson et l'installa à une table dans le fond, une table où il n'y avait qu'une chaise, afin de décourager les indési-rables. Puis il joua et elle l'écouta, succombant à la musique coulante, insaisissable, fière de connaître cet homme, d'être son invitée. La boisson était étrange et amère, elle n'aimait pas le goût de l'alcool, mais quand on se trouvait dans un bar, il fallait boire, et elle tenait à ne pas paraître déplacée ou trop jeune, elle ne voulait pas se faire remarquer.

Quand l'orchestre fit une pause, il la rejoignit et elle vit que son front était brillant de sueur.

— Je ne joue pas bien aujourd'hui, dit-il. Il y a des jours où ça va et d'autres où on n'y arrive pas.

— Je vous ai trouvé très bon. Vous avez bien joué.

— Non, je ne crois pas. Je peux faire beaucoup mieux. Certaines fois, la trompette me parle. Ces jours-là, je n'ai besoin de rien faire.

Elle s'aperçut que les gens les regardaient et qu'une ou deux femmes la dévisageaient d'un œil critique. Elles auraient aimé se trouver à sa place, cela se voyait. Elles mouraient d'envie d'être avec Note.

Il la mit dans le dernier bus du soir après avoir quitté le bar et la regarda partir en agitant la main jusqu'à ce que le bus ait disparu. Elle répondit à ses au revoir, puis ferma les yeux. Elle avait un petit ami à présent, un musicien de jazz, et elle allait le revoir, il le lui avait demandé, le vendredi suivant, quand ils joueraient dans un *braaivleis*[1], au *Gaborone Club*. Les membres de l'orchestre, avait-il expliqué, amenaient toujours leur amoureuse, et elle rencontrerait du monde, des personnes de qualité, des gens nouveaux et intéressants.

Ce fut là que Note Mokoti demanda Precious en mariage et qu'elle accepta, d'une drôle de façon, sans prononcer le moindre mot. L'orchestre avait fini de jouer et ils étaient tous deux assis dans l'obscurité, loin du bruit des buveurs restés dans le bar. Il lui dit :

— Je veux me marier bientôt et je veux que ce soit avec toi. Tu es une gentille fille et tu feras une épouse très bien.

Precious ne dit rien, parce qu'elle n'était pas sûre de vouloir, et son silence fut pris pour un assentiment.

— J'en parlerai à ton père, ajouta Note. J'espère qu'il n'est pas vieux jeu et qu'il ne souhaite pas que sa fille ait beaucoup de bétail.

Son père était vieux jeu, mais elle n'en dit rien. Elle n'avait pas encore accepté, pensait-elle, mais peut-être était-il trop tard.

Puis Note déclara :

— Maintenant que tu vas être ma femme, je dois t'apprendre à quoi servent les femmes.

Elle ne dit rien. C'était ainsi que les choses se passaient, supposa-t-elle. Les hommes étaient comme cela, tels que ses camarades de classe les lui avaient décrits, celles qui étaient des filles faciles, bien sûr.

Il lui passa un bras autour des épaules et la fit allonger dans l'herbe tendre. Ils se trouvaient dans l'ombre et il n'y avait personne à proximité, simplement les éclats de voix des consommateurs, qui parlaient fort et riaient. Il lui prit la main et la posa sur son ventre à lui, où il la laissa. Puis il commença à l'embrasser, dans le

1. Barbecue. *(N.d.T.)*

cou, sur la joue, sur les lèvres. Elle n'entendait plus
que les battements affolés de son propre cœur et son
souffle court.

Il dit :

— Les filles doivent apprendre cette chose. Te l'a-
t-on déjà apprise?

Elle secoua la tête. Elle n'avait jamais appris et à
présent, se disait-elle, il était trop tard. Elle n'allait pas
savoir ce qu'il fallait faire.

— Je suis content, dit-il. J'ai su tout de suite que tu
étais vierge, ce qui est très bien pour un homme. Mais
maintenant, cela va changer. Tout de suite. Ce soir.

Il lui fit mal. Elle lui demanda d'arrêter, mais il lui
lâcha la tête et la gifla. Aussitôt, il l'embrassa là où le
coup l'avait atteinte et lui dit qu'il ne l'avait pas fait
exprès. Pendant tout ce temps, il se pressait contre elle
et la griffait, parfois le long du dos, avec ses ongles.
Puis il la retourna et lui fit de nouveau mal, en lui
fouettant le dos avec sa ceinture.

Elle se redressa et rassembla ses vêtements froissés.
Elle avait peur, bien que lui ne semblât pas s'en sou-
cier, que quelqu'un sorte dans la nuit et les surprenne
là.

Elle s'habilla et, tout en enfilant son corsage, elle se
mit à pleurer, doucement, parce qu'elle pensait à son
père, qu'elle verrait le lendemain sous la véranda, qui
lui donnerait des nouvelles du bétail et qui n'imagine-
rait jamais ce qui lui était arrivé ce soir-là.

Note Mokoti rendit visite à son père trois semaines
plus tard, tout seul, et lui demanda Precious en
mariage. Obed répondit qu'il parlerait avec sa fille, ce
qu'il fit dès qu'elle arriva. Assis sur son tabouret, il la
regarda dans les yeux et lui dit qu'elle ne serait jamais
obligée d'épouser quelqu'un qu'elle ne voulait pas
épouser. Cette époque-là était révolue, et depuis longtemps. D'ailleurs, elle ne devait pas se sentir obligée

de se marier. Une femme pouvait très bien vivre seule de nos jours. Il y en avait de plus en plus qui préféraient cela.

Elle aurait pu dire non à ce moment-là, c'était ce que son père attendait. Mais elle n'en avait pas envie. Elle ne vivait plus que pour ses rencontres avec Note Mokoti. Elle avait envie de l'épouser. Ce n'était pas quelqu'un de bien, elle s'en rendait compte, mais elle parviendrait peut-être à le changer. Et puis, on pouvait dire ce qu'on voulait, il restait ces sombres instants de contact, ces plaisirs qu'il lui arrachait et qui étaient devenus une drogue. Elle aimait cela. Elle en avait honte rien que d'y penser, mais elle aimait ce qu'il lui faisait, l'humiliation, l'urgence. Elle voulait être avec lui, à lui. C'était comme une boisson que l'on trouve amère, mais que l'on ne peut s'empêcher de boire encore et encore. Et puis, bien sûr, elle sentait qu'elle était enceinte. Il était encore trop tôt pour en avoir la certitude, mais il lui semblait que l'enfant de Note Mokoti était en elle, minuscule oisillon qui palpitait au fond de son ventre.

Ils se marièrent un samedi après-midi, à trois heures, à l'église de Mochudi. Le bétail paissait sous les arbres, parce qu'on était fin octobre et que la chaleur avait atteint son maximum d'intensité. La nature était aride cette année-là, à la suite d'une mauvaise saison des pluies. Tout était desséché, flétri, il ne restait presque plus d'herbe et les bêtes n'avaient que la peau sur les os. C'était une période d'apathie.

Le pasteur les unit, suffoquant dans son habit noir et s'épongeant le front de son grand mouchoir rouge.

— Vous vous mariez ici sous le regard de Dieu, déclara-t-il. Dieu exige de vous certains devoirs. Il nous protège dans ce monde cruel. Dieu aime Ses enfants, mais nous ne devons pas oublier les devoirs qu'Il nous assigne. Jeunes gens, comprenez-vous ce que je vous dis là ?

Note sourit.

— Je comprends.

Puis, se tournant vers Precious :

— Et toi, tu as compris ?

Elle observa le visage du pasteur, le visage de l'ami de son père. Elle savait que les deux hommes avaient discuté de son mariage ; son père avait dit qu'il ne l'approuvait pas, mais le pasteur avait répondu qu'il ne pouvait intervenir. A présent, le ton de sa voix était doux et il exerça une légère pression sur la main de Precious avant de la placer dans celle de Note. A cet instant, elle sentit l'enfant bouger en elle et tressaillit, tant le mouvement était brusque et appuyé.

Après avoir passé deux jours à Mochudi chez un cousin de Note, ils placèrent tous leurs biens à l'arrière d'un camion et descendirent à Gaborone. Note avait trouvé un logement : deux pièces et une cuisine dans une maison habitée par son propriétaire, près de Tlokweng. Disposer de deux pièces était un luxe. La première, meublée d'un matelas double et d'une vieille penderie, leur servait de chambre à coucher, l'autre faisait office de salon et de salle à manger, avec une table, deux chaises et un buffet. Les rideaux jaunes de sa chambre de la maison de la cousine furent suspendus aux fenêtres de ce séjour et le rendirent lumineux et douillet.

Note rangeait là sa trompette et sa collection de cassettes. Il répétait par périodes de vingt minutes, puis, pour laisser reposer ses lèvres, écoutait une cassette dont il retrouvait le rythme sur une guitare. La musique des townships n'avait aucun secret pour lui : il savait d'où elle venait, qui la chantait, qui jouait de quel instrument et dans quelle formation. Il avait entendu les plus grands : Hugh Masekela à la trompette, Dollar Brand au piano, et le chanteur Spokes Machobane en personne à Johannesburg. Il connaissait tous les enregistrements réalisés par chacun d'eux.

Elle le regardait sortir la trompette de son étui et y fixer le bec. Elle le regardait tandis qu'il portait l'instrument à ses lèvres et que, soudainement, de cette minuscule coupe de métal mise en contact avec sa chair, le son éclatait, telle une lame de couteau glorieuse et étincelante qui divisait l'air. Alors la petite pièce résonnait et les mouches tirées de leur torpeur bourdonnaient en traçant des cercles autour d'eux comme si elles chevauchaient les notes tournoyantes.

Elle l'accompagnait dans les bars, où il se montrait affectueux avec elle, mais il semblait pris dans son propre monde. Dans ces moments-là, elle sentait qu'il n'avait pas vraiment envie de l'avoir à ses côtés. Les gens qui se trouvaient là ne pensaient qu'à la musique. Ils parlaient sans fin de musique, de musique, de musique. Comment pouvait-on dire autant de choses sur la musique ? Eux non plus n'aimaient pas l'avoir dans leur groupe, pensait-elle. Et elle finit par ne plus venir dans les bars et resta chez elle.

Il rentra tard ce soir-là, imprégné d'une forte odeur de bière. C'était une odeur aigre qui évoquait le lait caillé et elle détourna la tête lorsqu'il la poussa sur le lit et lui arracha ses vêtements.

— Tu as bu beaucoup de bière. Tu as passé une bonne soirée.

Il posa les yeux sur elle. Il avait le regard un peu trouble.

— Si j'ai envie de boire, je bois. Ferais-tu partie de ces femmes qui restent à la maison et se plaignent tout le temps ? C'est ça que tu es ?

— Mais non... Je voulais juste dire que tu avais passé une bonne soirée.

64

Mais rien ne pouvait apaiser son indignation.

— Tu m'obliges à te punir, femme, dit-il. Tu m'obliges à te faire ça !

Elle hurla et tenta de se défendre, de le repousser, mais il était trop fort pour elle.

— Ne fais pas mal au bébé.

— Au bébé ? Pourquoi parles-tu de ce bébé ? Il n'est pas de moi. Je ne suis le père d'aucun bébé.

De nouveau des mains d'homme, mais gantées cette fois d'un fin caoutchouc qui les faisait paraître pâles et incomplètes, comme les mains d'un Blanc.

— Cela vous fait mal si j'appuie ici ? Non ? Et là ?

Elle secoua la tête.

— Je pense que le bébé va bien. Et plus haut, là où il y a ces marques ? Est-ce une douleur superficielle, ou plus profonde ?

— C'est juste superficiel.

— Bon. Je vais devoir poser des points de suture ici. Et sur toute la longueur, là, parce que la peau est largement entaillée. Je vais vaporiser un produit pour supprimer la douleur, mais il vaut peut-être mieux que vous ne regardiez pas pendant que je couds ! On dit que les hommes ne savent pas coudre, mais les docteurs ne sont pas trop mauvais dans ce domaine !

Elle ferma les yeux et perçut un sifflement. Elle sentit alors le produit froid vaporisé sur sa peau, puis un engourdissement pendant que le médecin travaillait sur la blessure.

— C'est votre mari qui vous a fait ça ? Je ne me trompe pas ?

Elle rouvrit les yeux. Le docteur avait terminé la suture et tendait quelque chose à l'infirmière. Puis il retira ses gants sans la quitter des yeux.

— Combien de fois avez-vous subi cela ? Y a-t-il quelqu'un pour veiller sur vous ?

— Je ne sais pas. Je ne sais pas.

— J'imagine que vous allez retourner avec lui ?

Elle ouvrit la bouche pour répondre, mais il lui coupa la parole.

— Bien sûr. C'est toujours la même chose. La femme y retourne et en redemande.

Il poussa un soupir.

— Je vous reverrai sûrement, vous savez. Mais j'espère que je me trompe. Allez, faites attention à vous.

Elle rentra chez elle le lendemain, un foulard noué autour du visage pour dissimuler plaies et hématomes. Elle avait mal aux bras et au ventre et les points de suture la faisaient cruellement souffrir. A l'hôpital, on lui avait donné des cachets et elle en avait pris un avant de monter dans le bus. Cela calma un peu la douleur et elle en avala un deuxième en chemin.

La porte était ouverte. Elle entra, le cœur battant, et vit ce qui s'était passé. La pièce était vide, en dehors des meubles. Il avait pris ses cassettes et leur nouvelle malle en fer, et les rideaux jaunes aussi. Dans la chambre à coucher, il avait lacéré le matelas avec un couteau. Il y avait du kapok partout, on se serait cru dans une salle de tonte.

Elle s'assit sur le lit et elle y était encore, à fixer le sol, lorsque la voisine arriva et lui dit qu'elle pourrait trouver quelqu'un pour la ramener en camion à Mochudi, chez Obed, son père.

Elle y resta quatorze années, à prendre soin de son père. Celui-ci mourut peu après le trente-quatrième anniversaire de sa fille et ce fut alors que Precious Ramotswe, désormais orpheline, survivante d'un mariage qui avait été un cauchemar et mère l'espace de cinq brefs et merveilleux jours, devint la première dame détective privée du Botswana.

CHAPITRE V

Comment ouvrir une agence de détectives

Mma Ramotswe avait pensé qu'il ne serait pas facile d'ouvrir une agence de détectives. Les gens commettent souvent l'erreur d'imaginer que se lancer dans les affaires est une chose assez simple, pour découvrir ensuite qu'il existe toutes sortes de difficultés cachées et d'obligations imprévues. On lui avait parlé de personnes qui avaient créé des entreprises et n'avaient tenu que quatre ou cinq semaines : elles s'étaient retrouvées à court d'argent, ou de marchandises, ou des deux. La réalité se révélait toujours plus compliquée que prévu.

Elle se rendit à Pilane, chez l'avocat chargé de lui remettre l'héritage de son père. L'homme avait organisé la vente du bétail, dont il avait tiré un bon prix.

— J'ai beaucoup d'argent pour vous, lui annonça-t-il. Le troupeau de votre père avait bien grossi.

Elle prit le chèque et le document qu'il lui tendait. C'était bien plus qu'elle n'avait escompté. Il y avait là, sous ses yeux, un montant considérable, payable à Precious Ramotswe sur simple présentation à la Barclays Bank du Botswana.

— Vous pouvez vous acheter une maison avec ça, dit l'avocat. Et une affaire.

— C'est mon intention.

L'avocat parut intéressé.

— Quelle sorte d'affaire? Un magasin? Je peux vous conseiller, vous savez.

— Une agence de détectives.

L'avocat la contempla, ébahi.

— Vous n'en trouverez pas à vendre. Il n'y en a pas ici.

Mma Ramotswe hocha la tête.

— Je sais. Il faudra que je démarre de zéro.

L'avocat fit la grimace.

— Il est très facile de perdre de l'argent dans les affaires, dit-il. Surtout quand on ne connaît rien au domaine dans lequel on se lance.

Il la dévisageait d'un œil dur.

— Surtout dans ces conditions! Et puis, une femme peut-elle vraiment être détective? A votre avis?

— Pourquoi pas? fit Mma Ramotswe.

On lui avait dit qu'en général les gens n'aimaient pas beaucoup les avocats; à présent, il lui semblait comprendre pourquoi. Cet homme était si sûr de lui, si intimement persuadé d'avoir raison! De quoi se mêlait-il? C'était son argent à elle, son avenir à elle! Et puis, comment osait-il parler ainsi des femmes, alors qu'il ne s'était même pas aperçu qu'il avait la braguette entrouverte! Devait-elle le lui dire?

— Ce sont les femmes qui sont au courant de ce qui se passe, déclara-t-elle avec calme, elles qui voient tout. N'avez-vous pas entendu parler d'Agatha Christie?

L'avocat parut décontenancé.

— Agatha Christie? Bien sûr que si! Oui, c'est vrai... Une femme voit plus de choses qu'un homme. C'est bien connu.

— Donc, poursuivit Mma Ramotswe, quand les gens verront une pancarte indiquant AGENCE N° 1 DES DAMES DÉTECTIVES, comment réagiront-ils? Ils se diront que ces dames savent tout ce qui se passe. Qu'elles sont les mieux placées !

L'avocat se caressa le menton.

— Peut-être...

— Oui, dit Mma Ramotswe. Peut-être.

Puis elle ajouta :

— Votre braguette, Rra. Je crois que vous n'avez pas remarqué...

Elle trouva d'abord la maison, dans un lotissement à l'angle de Zebra Drive. C'était cher et elle décida d'en hypothéquer une partie, de manière à garder de quoi acheter un local pour son agence. Celui-ci fut plus difficile à trouver, mais elle finit par choisir un petit magasin près du mont Kgale, à l'orée de la ville, où elle pourrait s'installer. C'était un bon emplacement, car de nombreuses personnes empruntaient chaque jour cette route et elles verraient la pancarte. Ce serait presque aussi efficace que de faire paraître une publicité dans le *Daily News* ou le *Botswana Guardian*. Bientôt, tout le monde serait au courant.

Le bâtiment qu'elle acheta avait abrité une épicerie, puis un pressing, puis un débit de boissons. Pendant un an environ, il était resté inoccupé, de sorte que des squatters s'y étaient installés. Ils avaient fait du feu à l'intérieur et, dans chaque pièce, une partie du plâtre était carbonisée et détruite. Quand le propriétaire était rentré de Francistown, il avait chassé les squatters et mis en vente le local délabré. Les deux ou trois clients qui s'y étaient intéressés avaient été dissuadés par l'état du bâtiment et le prix avait chuté. Lorsque Mma Ramotswe avait proposé un paiement comptant, le vendeur avait aussitôt accepté ; en quelques jours, le contrat de vente était signé.

Il y avait beaucoup à faire. Un entrepreneur fut appelé pour remplacer les cloisons endommagées et réparer le toit de tôle et, là encore, la promesse d'un paiement comptant permit de faire réaliser l'ensemble des gros travaux en une semaine. Puis Mma Ramotswe s'attela à la peinture. En peu de temps, elle eut achevé l'extérieur en ocre et l'intérieur en blanc. Elle acheta des rideaux jaune vif pour les fenêtres et, dans un accès de folie dépensière qui ne lui ressemblait pas, investit dans un lot de deux bureaux et de deux chaises flambant neufs. Son ami, Mr. J.L.B. Matekoni, propriétaire du garage Tlokweng Road Speedy Motors, lui apporta une vieille machine à écrire qui faisait double emploi chez lui et qui fonctionnait assez bien, et l'agence fut prête à ouvrir... dès que l'on aurait trouvé une secrétaire.

Ce fut le plus facile. Un coup de téléphone à l'Institut de secrétariat du Botswana apporta une réponse immédiate. On avait la femme qu'il fallait, lui dit-on. Mma Makutsi venait de réussir haut la main les examens de dactylographie et de secrétariat, avec un total de quatre-vingt-dix-sept sur cent. Elle conviendrait à merveille, c'était sûr.

Mma Ramotswe la trouva d'emblée sympathique. C'était une jeune femme mince au visage long et aux cheveux nattés, colorés à grand renfort de henné. Elle portait des lunettes ovales à grosse monture de plastique et avait un sourire figé, mais apparemment sincère.

Elles ouvrirent l'agence un lundi. Mma Ramotswe s'assit à son bureau et Mma Makutsi au sien, devant la machine à écrire. Elle regarda Mma Ramotswe et son sourire s'élargit.

— Je suis prête à travailler, dit-elle. Je peux commencer.

— Mmm... fit Mma Ramotswe. Nous ne faisons que débuter. Nous venons juste d'ouvrir. Nous allons devoir attendre qu'un client se présente.

En son for intérieur, elle se dit qu'il n'y aurait pas de client. Toute cette entreprise était une épouvantable erreur. Personne n'avait besoin d'un détective privé, et, surtout, personne ne voudrait d'elle ! Qui était-elle, après tout ? Precious Ramotswe, de Mochudi ! Rien de plus. Elle n'était jamais allée à Londres, ou là où l'on se rend généralement pour apprendre le métier de détective. Elle ne connaissait même pas Johannesburg ! Que se passerait-il si quelqu'un entrait et lui disait : « Vous connaissez Johannesburg, bien sûr » ? Elle serait obligée de mentir, ou de garder le silence...

Mma Makutsi la considéra un instant, puis baissa les yeux sur le clavier de sa machine. Elle ouvrit un tiroir, y jeta un coup d'œil et le referma. A ce moment-là, une poule venue de la cour entra dans la pièce et picora quelque chose sur le sol.

— Sors d'ici ! hurla Mma Makutsi. On ne veut pas de poulets ici !

A dix heures, Mma Makutsi se leva de son bureau et gagna l'autre pièce pour préparer le thé. Elle avait ordre de ne faire que du thé rouge, car c'était le préféré de Mma Ramotswe, et elle en rapporta bientôt deux tasses. Elle prit dans son sac une boîte de lait condensé, dont elle versa un nuage dans chaque tasse. Elles burent leur thé en observant un petit garçon qui, au bord de la route, jetait des pierres à un chien squelettique.

A onze heures, elles prirent un autre thé et, à midi, Mma Ramotswe se leva et annonça qu'elle allait marcher jusqu'aux boutiques pour s'acheter du parfum. Mma Makutsi devait rester à son bureau, répondre au téléphone et accueillir les clients. Mma Ramotswe sourit en disant ces mots. Il n'y aurait pas de clients, bien sûr, et elle aurait fermé l'agence à la fin du mois. Mma Makutsi avait-elle conscience de la précarité de l'emploi qu'elle venait d'obtenir ? Une femme capable d'atteindre la note de quatre-vingt-dix-sept sur cent méritait mieux que cela.

Mma Ramotswe se tenait devant le comptoir de la parfumerie, examinant un flacon, lorsque Mma Makutsi fit irruption dans la boutique.

— Mma Ramotswe, haleta-t-elle. Une cliente ! Il y a une cliente à l'agence. C'est une affaire importante. Une disparition. Venez vite, il n'y a pas de temps à perdre.

Les épouses de disparus sont toutes les mêmes, songeait Mma Ramotswe. Tout d'abord, l'anxiété les saisit et elles sont convaincues qu'il est arrivé quelque chose de grave. Puis le doute s'insinue et elles se demandent alors si leur mari n'est pas parti avec une autre femme (ce qui est souvent le cas). Enfin, elles se mettent en colère. A ce stade, la plupart n'ont aucune envie de le voir rentrer à la maison, même si on le re trouve. Elles souhaitent toutefois avoir l'occasion de lui dire ses quatre vérités.

Mma Malatsi en était au deuxième stade, pensa-t-elle. Elle avait commencé à soupçonner son mari d'être allé prendre du bon temps en la laissant à la maison, et, bien sûr, cela lui restait sur le cœur. Peut-être avait-il des dettes, même si, à première vue, cette femme semblait ne connaître aucun problème d'argent.

— Pourriez-vous me parler un peu de votre mari ? demanda-t-elle, tandis que Mma Malatsi goûtait le thé rouge très fort préparé par Mma Makutsi.

— Il s'appelle Peter Malatsi, commença Mma Malatsi. Il a quarante ans et il possède... il possédait... enfin, il possède... un magasin de meubles. C'est un bon commerce et les affaires marchaient bien. Il n'est donc pas parti pour fuir des créanciers.

Mma Ramotswe hocha la tête.

— Il doit donc y avoir une autre raison, hasardat-elle, avant d'ajouter avec prudence : Vous savez comment sont les hommes, Mma. Et s'il y avait une autre femme ? Pensez-vous...

Mma Malatsi secoua vigoureusement la tête.

— Je ne crois pas, coupa-t-elle. Il y a un an, cela aurait pu être possible, mais maintenant il est devenu chrétien et il est entré dans une communauté qui passe son temps à chanter et à défiler dans les rues en uniforme blanc.

Mma Ramotswe nota soigneusement : communauté chrétienne, chants. La religion lui avait-elle mal réussi ? Une séduisante prédicatrice l'avait-elle détourné du droit chemin ?

— Qui sont ces gens ? interrogea-t-elle. Peut-être savent-ils quelque chose à son sujet ?

Mma Malatsi haussa les épaules.

— Je ne sais pas trop, répondit-elle avec une légère irritation. En fait, je n'en sais rien. Il m'a demandé une ou deux fois de l'accompagner là-bas, mais j'ai refusé. Alors il y allait tout seul, le dimanche. D'ailleurs, c'est un dimanche qu'il a disparu. Je pensais qu'il était à son église.

Mma Ramotswe considéra le plafond. L'affaire ne serait pas bien compliquée à résoudre. Peter Malatsi était parti avec l'une des chrétiennes de la communauté, c'était assez clair. Tout ce qu'elle avait à faire, à présent, c'était trouver l'église en question, ce qui fournirait un début de piste. C'était l'une de ces vieilles histoires sans surprise : une fidèle jeune et jolie, elle en était sûre.

Le lendemain en fin de journée, Mma Ramotswe avait établi une liste de cinq communautés correspondant à la description. Les deux jours suivants, elle rencontra les chefs de trois d'entre elles. Aucun ne connaissait Peter Malatsi. Sur les trois, deux tentèrent de la convertir et le troisième lui demanda de l'argent. Elle donna un billet de cinq pula.

Lorsqu'elle localisa le chef de la quatrième communauté, le révérend Shadreck Mapeli, elle sut que ses recherches touchaient à leur fin. Dès qu'elle mentionna le nom de Malatsi, le révérend frémit et jeta un coup d'œil furtif par-dessus son épaule.

— Vous êtes de la police ? demanda-t-il. Vous êtes policier ?

— Policière, dit elle.

— Ah ! fit-il d'un ton lugubre. Oh...

— Je veux dire... je ne suis pas policière, reprit-elle à la hâte. Je suis détective privée.

Le révérend parut se calmer quelque peu.

— Qui vous envoie ?

— Mma Malatsi.

— Oh, oh... fit l'homme. Il nous avait dit qu'il n'était pas marié.

— Eh bien, il l'est, dit Mma Ramotswe. Et sa femme s'inquiète à son sujet.

— Il est mort, annonça le révérend. Il a rejoint le Seigneur.

Mma Ramotswe eut le sentiment qu'il disait la vérité et que l'enquête arrivait effectivement à son terme. Elle n'avait plus qu'à déterminer les circonstances du décès.

— Il faut m'expliquer, déclara-t-elle. Je vous promets de ne pas révéler votre nom si vous me le demandez, mais dites-moi comment cela s'est passé.

Ils se rendirent à la rivière à bord de la petite fourgonnette blanche de Mma Ramotswe. C'était la saison des pluies et il y avait eu plusieurs orages, ce qui rendait la piste presque impraticable. Enfin, ils atteignirent la rive et garèrent la fourgonnette sous un arbre.

— C'est ici que nous célébrons nos baptêmes, expliqua le révérend en désignant un bassin dans la rivière enflée. Moi, je me tenais ici, sur le bord, et c'est à cet endroit-là que les pécheurs sont entrés dans l'eau.

— Combien de pécheurs étaient-ils ? demanda Mma Ramotswe.

— Six en tout, dont Peter. Ils sont tous entrés dans l'eau en même temps, alors que je me préparais à les suivre avec mon bâton.

— Oui ? fit Mma Ramotswe. Et alors, que s'est-il passé ?

— Les pécheurs avaient de l'eau jusqu'à la poitrine. Je me suis retourné pour dire à mes ouailles de chanter, et quand j'ai regardé de nouveau la rivière, j'ai remarqué que quelque chose n'allait pas. Il n'y avait plus que cinq pécheurs dans l'eau.

— L'un d'eux avait disparu ?

— Oui, dit le révérend en frémissant. Dieu en avait pris un en Son sein.

Mma Ramotswe regarda la rivière. Elle n'était pas très large et, la majeure partie de l'année, elle se réduisait à quelques flaques d'eau stagnante. A la saison humide, en revanche, lorsque les pluies étaient abondantes comme c'était le cas cette année, elle prenait des allures de torrent. Une personne qui ne savait pas nager pouvait être facilement emportée, songea-t-elle. Cependant, si les choses s'étaient passées ainsi, on aurait retrouvé le corps en aval. Un grand nombre de gens se rendaient à la rivière pour une raison ou pour une autre et un corps ne pouvait passer longtemps inaperçu. La police aurait alors été prévenue. La presse aurait parlé d'un corps non identifié retrouvé dans la Notwane. Les journalistes étaient friands de ce genre d'histoires. Ils n'auraient jamais laissé passer une telle aubaine.

Elle réfléchit quelques instants. Il existait une autre explication, qui la fit frémir. Avant d'approfondir la question, elle voulut savoir pourquoi le révérend avait gardé le silence sur le drame.

— Vous n'avez rien dit à la police, déclara-t-elle en veillant à ne pas paraître accusatrice. Pourquoi ?

L'homme baissa les yeux, ce qui, d'après l'expérience de Mma Ramotswe, signifiait que l'on se sentait vraiment désolé. Les impénitents éhontés, elle l'avait remarqué, regardaient vers le ciel.

— Je sais que j'aurais dû la prévenir. Dieu me punira pour cela. Mais j'avais peur qu'on me reproche la mort du pauvre Peter et qu'on me traîne devant le tribunal. Avec les dommages et intérêts que j'aurais peut-être eu à payer, je risquais de conduire ma communauté à la faillite, ce qui aurait coupé court à l'œuvre que nous accomplissons pour Dieu.

Il s'interrompit.

— Comprenez-vous pourquoi j'ai gardé le silence et pourquoi j'ai demandé à mes ouailles de ne rien dire non plus ?

Mma Ramotswe hocha la tête et posa doucement la main sur le bras du révérend.

— Je ne pense pas que vous ayez mal agi, assura-t-elle. Je suis sûre que Dieu voulait vous voir continuer et qu'Il ne sera pas en colère. Vous n'y êtes pour rien.

Le révérend releva les yeux et sourit.

— Ce sont des paroles charitables, ma sœur. Merci.

En début d'après-midi, Mma Ramotswe alla voir son voisin pour lui emprunter l'un de ses chiens. Il en avait une meute de cinq, qu'elle haïssait tous en raison de leurs aboiements incessants. Ces chiens aboyaient au petit matin, se prenant pour des coqs, et à la nuit, quand la lune s'élevait dans le ciel. Ils aboyaient contre les corbeaux et contre les ombrettes, ils aboyaient contre les passants, ils aboyaient parfois simplement parce qu'ils avaient chaud.

— J'aurais besoin d'un chien pour m'assister dans une enquête, expliqua-t-elle. Je vous le ramènerai sain et sauf.

Le voisin se sentit flatté.

— Je vais vous donner celui-ci, dit-il. C'est le plus âgé et il a beaucoup de flair. Il fera un bon chien de détective.

Mma Ramotswe prit l'animal avec circonspection. C'était une grosse bête jaune à l'odeur étrange et déplaisante. Ce soir-là, juste après le coucher du soleil, elle le fit monter à l'arrière de sa fourgonnette et l'attacha à une poignée à l'aide d'une ficelle. Puis elle emprunta la piste qui menait à la rivière. Ses phares découpaient dans l'obscurité les silhouettes des robiniers et des fourmilières. Elle s'aperçut que, curieusement, elle appréciait la présence du chien, aussi déplaisant fût-il.

Parvenue près du bassin de la rivière, elle prit un gros piquet dans sa fourgonnette et le planta dans la terre meuble de la rive. Puis elle alla chercher le chien, le conduisit au bord de l'eau et l'attacha fermement au piquet. D'un sac qu'elle avait apporté, elle tira un os et le posa devant le chien. L'animal poussa un grognement de plaisir et entreprit aussitôt de le ronger.

Mma Ramotswe s'installa à quelques mètres de là pour attendre. Une couverture enroulée autour des jambes la préservait des moustiques et elle avait posé sa vieille carabine sur ses genoux. Elle savait que l'attente risquait d'être longue et espérait ne pas s'endormir. Si elle succombait au sommeil, toutefois, elle ne doutait pas que le chien la réveillerait le moment venu.

Deux heures passèrent. Les moustiques se montraient virulents et tout son corps la démangeait, mais c'était le travail, et Mma Ramotswe ne se plaignait jamais quand elle travaillait. Soudain, le chien émit un grognement. Elle scruta les ténèbres. Elle y devinait à peine la silhouette de l'animal, qui s'était levé et regardait en direction de l'eau. Il grogna de nouveau, aboya, puis le silence s'installa. Mma Ramotswe ôta la cou-

verture et saisit une torche puissante posée près d'elle.
Encore un petit peu, songea-t-elle.

Un bruit monta tout à coup de la rive et elle sut que
le moment était venu d'allumer la torche. Dans le fais-
ceau lumineux, elle aperçut, à peine sorti de l'eau, la
tête tournée vers le chien tremblant, un énorme crocodile.

Le reptile ne se préoccupait absolument pas de la
lumière, qu'il devait prendre pour celle de la lune. Les
yeux fixés sur sa proie, il s'en approchait avec lenteur.
Mma Ramotswe mit en joue, visa la tête et appuya sur
la détente.

Le crocodile fit un grand bond lorsque la balle le
percuta, une culbute, plus exactement. Il atterrit sur le
dos, à demi dans l'eau, à demi hors de l'eau. L'espace
d'une seconde ou deux, il fut agité de soubresauts, puis
il s'immobilisa. Le coup avait été placé à la perfection.

Mma Ramotswe constata qu'elle tremblait
lorsqu'elle reposa la carabine. C'était son père qui lui
avait appris à tirer, et il lui avait bien appris, mais elle
n'aimait pas tuer des animaux, surtout des crocodiles.
Cela portait malheur. Toutefois, elle avait une mission
à accomplir. Et d'abord, que faisait-il ici ? Ces bêtes
n'étaient pas à leur place dans la Notwane. Sans doute
avait-il parcouru des kilomètres sur la terre ferme, ou
remonté les eaux en crue depuis le Limpopo. Pauvre
crocodile ! Ainsi s'achevait son aventure...

Elle prit un canif et incisa le ventre de l'animal. Le
cuir était souple et l'estomac apparut bientôt, avec son
contenu. Elle y découvrit des cailloux, que le crocodile
utilise pour la digestion, et plusieurs morceaux de pois-
son à l'odeur nauséabonde. Mais ce n'était pas cela qui
l'intéressait. Son regard s'arrêta sur les colliers, bagues
et montres non digérés qu'elle trouva. Les objets
étaient corrodés, un ou deux d'entre eux étaient recou-
verts d'une croûte, mais ils se distinguaient malgré tout

dans le contenu de l'estomac, comme autant de preuves des sinistres appétits du reptile.

— Cela appartenait-il à votre mari? interrogea Mma Ramotswe en lui tendant le bracelet-montre extrait de l'estomac du crocodile.

Mma Malatsi prit l'objet et l'examina. Mma Ramotswe fit la grimace; elle détestait les moments comme celui-ci, où elle n'avait d'autre choix que d'annoncer de mauvaises nouvelles.

Mma Malatsi demeura extraordinairement calme.

— Au moins, je sais qu'il est auprès du Seigneur, déclara-t-elle. Et cela me paraît bien mieux que de le savoir dans les bras d'une femme. N'êtes-vous pas de mon avis?

Mma Ramotswe hocha la tête.

— Si, répondit-elle. Vous avez raison.

— Avez-vous été mariée? interrogea Mma Malatsi. Savez-vous ce que c'est que d'être mariée à un homme?

Mma Ramotswe détourna les yeux vers la fenêtre. Il y avait un robinier devant, mais, au-delà, elle apercevait la colline parsemée de rochers.

— J'ai eu un mari, répondit-elle. Il y a longtemps, j'ai eu un mari. Il jouait de la trompette. Il m'a rendue malheureuse et, à présent, je suis contente de ne plus en avoir.

Elle s'interrompit un instant.

— Désolée, je ne voulais pas vous faire de peine, reprit-elle. Vous venez de perdre le vôtre et vous devez être bien triste.

— Un peu, dit Mma Malatsi. Mais vous savez, je suis une femme très occupée...

CHAPITRE VI

Un garçon

Le garçon avait onze ans et il était petit pour son âge. On avait tout tenté pour le faire grandir, mais il prenait son temps et, à présent, lorsqu'on le voyait, on lui donnait à peine huit ou neuf ans. Cela ne le gênait pas le moins du monde. Son père lui avait dit : « Moi aussi, à ton âge, j'étais petit. Mais maintenant que je suis un homme, je fais partie des plus grands. Regarde-moi. Ce sera la même chose pour toi. Il suffit d'attendre. »

En secret toutefois, ses parents craignaient un problème ; ils se demandaient si, par exemple, sa colonne vertébrale n'était pas tordue et si ce n'était pas cela qui l'empêchait de grandir. A l'âge de quatre ans, il était tombé d'un arbre — où il était monté chercher des œufs — et il était resté étendu plusieurs minutes, la respiration bloquée. Sa grand-mère avait traversé en hurlant le champ de melons et l'avait ramené dans ses bras jusqu'à la maison, sans qu'il eût lâché l'œuf cassé qu'il tenait encore à la main. Il s'était rétabli — c'est du moins ce qu'on avait cru à l'époque — mais sa démarche, trouvait-on, s'était modifiée. On l'avait emmené à la clinique, où une infirmière lui avait examiné les yeux et le fond de la gorge avant de le déclarer en bonne santé.

— Les garçons tombent tout le temps. C'est rare qu'ils se cassent quelque chose.

L'infirmière avait placé les mains sur les épaules de l'enfant et lui avait fait pivoter le torse.

— Regardez. Il n'y a rien d'anormal chez lui. Rien du tout. S'il avait quelque chose de cassé, il aurait hurlé.

Plusieurs années plus tard, cependant, constatant qu'il restait petit, sa mère avait repensé à la chute et s'était reproché d'avoir écouté une infirmière tout juste bonne à pratiquer des tests de dépistage de la bilharziose et à détecter les vers.

Le garçon était plus curieux que les autres enfants. Il adorait chercher dans la terre rouge des pierres qu'il astiquait ensuite avec sa salive. Il en trouvait parfois de très belles, des pierres bleu nuit ou dans les tons ocre, comme le ciel au crépuscule. Il les conservait au pied de son lit, dans sa case, et s'en servait pour apprendre à compter. Les autres garçons apprenaient à compter avec les troupeaux, mais celui-ci ne semblait pas aimer les bêtes, une autre particularité qui en faisait un enfant différent.

Connaissant cette curiosité qui le poussait à parcourir la savane vers des objectifs connus de lui seul, ses parents avaient pris l'habitude de le voir disparaître plusieurs heures d'affilée. Rien de bien méchant ne pouvait lui arriver, à moins qu'il n'eût la malchance de poser le pied sur une vipère heurtante ou un cobra. Mais cela n'arrivait jamais et, tout à coup, on le voyait surgir près de l'enclos à bétail ou derrière les chèvres, tenant à la main une nouvelle trouvaille : plume de vautour, mille-pattes chongalolo séché ou crâne de serpent blanchi.

A présent, le garçon était de nouveau dehors, marchant sur l'un des sentiers qui sillonnent la savane poussiéreuse. Il avait découvert quelque chose qui l'intéressait beaucoup : les fumées toutes fraîches d'un serpent, et il suivait le sentier dans l'espoir de trouver l'animal lui-même. Il savait ce que c'était, car il avait reconnu des pelotes de fourrure dans les excréments : ceux-ci ne pouvaient provenir que d'un serpent. Il s'agissait de poils de pika, il en était sûr en raison de la couleur et parce qu'il savait que les pikas étaient très appréciés des gros serpents. S'il rattrapait le reptile, il pourrait le tuer avec une pierre, l'écorcher et obtenir une belle peau dont on ferait deux ceintures, une pour lui et une pour son père.

Le soir tombait toutefois et il allait devoir abandonner la poursuite. De toute façon, il ne verrait pas le serpent par une nuit sans lune. Il fallait quitter le sentier et couper à travers la savane pour rejoindre la mauvaise route qui ramenait au village, au-delà du lit de la rivière à sec.

Il trouva sans peine la route et s'assit un moment sur le bas-côté, plongeant ses orteils dans le sable blanc très doux. Il avait faim et savait qu'il y aurait de la viande avec le porridge le soir, parce qu'il avait vu sa grand-mère préparer du ragoût. Elle lui en servait toujours un peu plus que sa part — et parfois même plus qu'à son père — et cela mettait ses deux sœurs en colère.

— Nous aussi, on aime la viande ! Les filles aiment autant la viande que les garçons !

Cela ne suffisait pas à convaincre la grand-mère.

Il se leva et se mit en marche le long de la route. Il faisait tout à fait sombre désormais et les arbres et les buissons n'étaient plus que des silhouettes noires entremêlées. Un oiseau criait quelque part — un rapace nocturne — et les insectes de nuit bourdonnaient. Il sentit une petite piqûre sur son bras droit et abattit la main gauche. Un moustique.

Soudain, sur le feuillage d'un arbre devant lui, apparut une bande de lumière jaune tressautante. Le garçon se retourna. Il y avait un camion sur la piste, derrière lui. Ce ne pouvait être une voiture, le sable était trop profond et trop meuble.

Il s'arrêta et attendit. Les lumières étaient presque sur lui à présent : un petit camion, un pick-up, avec deux phares bondissants qui montaient et descendaient en fonction des bosses et des ornières de la piste. Maintenant, le véhicule arrivait à sa hauteur, et il mit la main sur les yeux pour se protéger de la lumière.

— Bonsoir, petit.

La formule de salut traditionnelle, lancée de l'intérieur de la cabine.

Il sourit et répondit. Il distinguait deux hommes dans la cabine : un plutôt jeune, au volant, et un plus âgé à côté. Il comprit qu'ils n'étaient pas d'ici, même sans voir leurs visages. L'homme avait une drôle de façon de parler le setswana. Ce n'était pas l'accent de la région. Une intonation étrange qui remontait à la fin des mots.

— Tu chasses des animaux sauvages ? Tu comptes attraper un léopard dans cette nuit noire ?

Il secoua la tête.

— Non. Je rentre chez moi.

— Parce que le léopard pourrait t'attraper avant que tu l'aies attrapé !

Il rit.

— Vous avez raison, Rra ! Je n'aimerais pas rencontrer un léopard ce soir.

— Alors, on va te ramener chez toi. C'est loin ?

— Non, pas très. C'est juste là-bas. Dans cette direction.

Le conducteur ouvrit la portière et descendit, moteur au ralenti, pour laisser le garçon se glisser sur le siège.

Puis il remonta, ferma la portière et passa une vitesse. Le garçon souleva les jambes : il y avait un animal au sol, il venait de toucher un museau humide. Un chien, peut-être, ou une chèvre.

Il jeta un coup d'œil à son voisin de gauche, le plus âgé. Il était impoli de dévisager les gens et l'on y voyait à peine dans l'obscurité. Toutefois, il remarqua que l'homme avait quelque chose de bizarre à la lèvre et il vit aussi ses yeux. Il se détourna. Un enfant ne devait pas regarder un vieux de cette façon. Mais pourquoi ces deux individus se trouvaient-ils là ? Que faisaient-ils sur cette route ?

— C'est là. Voilà la maison de mon père. Vous voyez, juste là... Ces lumières.

— On les voit, oui.

— Vous pouvez me laisser ici, si vous voulez. Si vous vous arrêtez, je continuerai à pied. Il y a un petit chemin.

— On ne s'arrête pas. Il faut que tu fasses quelque chose pour nous. Tu peux nous être utile.

— Mais ils m'attendent ! Ils vont se demander ce qui se passe si je ne rentre pas.

— Il y a toujours des gens qui attendent. Partout.

Il eut soudain très peur et se tourna vers le conducteur. Le jeune homme lui souriait.

— T'en fais pas. Reste assis tranquillement. On va quelque part ce soir.

— Où m'emmenez-vous, Rra ? Pourquoi ne voulez-vous pas me laisser descendre ?

L'homme plus âgé posa une main sur l'épaule du garçon.

— On ne va pas te faire de mal. Tu pourras rentrer chez toi plus tard. Tes parents sauront que tu vas bien. On n'est pas des méchants, tu sais. Écoute, je vais te raconter une petite histoire pendant le trajet. Comme ça, tu seras content et tu te tiendras tranquille :

C'est l'histoire de petits bergers qui surveillaient le troupeau de leur oncle. Cet homme-là était riche, très riche ! Il possédait plus de bétail que n'importe qui dans cette région du Botswana et ses bêtes étaient grandes et grosses comme ça, et même plus...

Un jour, les garçons découvrirent qu'un veau était apparu dans un coin de l'enclos. C'était un drôle de veau, de plusieurs couleurs, qui ne ressemblait à aucun autre. Les garçons furent très contents d'avoir ce veau dans leur enclos.

Ce veau était différent pour d'autres raisons aussi. Il savait chanter une chanson sur le bétail, une chanson que les enfants entendaient chaque fois qu'ils s'approchaient de lui. Ils ne distinguaient pas bien les paroles, mais ils comprenaient qu'il s'agissait d'histoires de bétail.

Les garçons adoraient ce veau. Et comme ils l'adoraient, ils ne virent pas que les autres bêtes commençaient à s'éloigner. C'est seulement quand ils s'aperçurent que deux vaches avaient disparu pour de bon qu'ils s'en rendirent compte.

Leur oncle arriva. C'était un homme très, très grand, et il tenait un bâton à la main. Il gronda les enfants et frappa leur veau de son bâton, en disant que les animaux bizarres ne portaient jamais bonheur.

Il frappa tant que le veau mourut. Mais avant de rendre son dernier soupir, il eut le temps de murmurer quelque chose à l'oreille des garçons et, cette fois, les garçons comprirent ce qu'il disait. C'était quelque chose de très étrange, et quand les enfants le répétèrent à leur oncle, celui-ci tomba à genoux et se mit à sangloter.

Ce veau était son frère, tu comprends ? Il avait été mangé par un lion plusieurs années auparavant et il était revenu. L'homme venait de tuer son propre frère ! Plus jamais il ne fut heureux dans sa vie. Il devint un homme triste. Très triste.

Tout en écoutant, le garçon avait observé le visage de l'homme. S'il n'avait pas compris ce qui lui arrivait jusqu'à cet instant, tout s'éclairait à présent. Il savait ce qui allait se passer.

— Tiens ce garçon ! Attrape-lui les bras ! Il va me faire sortir de la route si ça continue !

— J'essaie. Mais il se débat comme un petit diable.

— Essaie de le tenir. Je vais arrêter le camion.

CHAPITRE VII

Mma Makutsi traite le courrier

Le succès de sa première enquête avait mis du baume au cœur à Mma Ramotswe. Elle s'était décidée à commander — et avait reçu — un manuel sur le métier de détective privé et elle le lisait chapitre par chapitre en prenant de copieuses notes. Dans cette première affaire, pensait-elle, elle n'avait commis aucune erreur. Elle avait découvert les informations exploitables en inventoriant les sources possibles, puis en explorant chacune d'elles. Cela ne lui avait pas réclamé d'efforts importants. Pour peu que l'on se montrât méthodique, on avait peu de chances de partir sur une mauvaise piste.

Puis elle avait eu cette intuition au sujet du crocodile et l'avait suivie. Là aussi, le manuel agréait cette pratique comme tout à fait acceptable. « Ne négligez jamais une intuition, conseillait-il. Les intuitions constituent une forme de savoir. » Mma Ramotswe avait apprécié cette formulation et l'avait répétée à Mma Makutsi. La secrétaire avait écouté avec attention, puis l'avait copiée avec sa machine à écrire avant de tendre la feuille à Mma Ramotswe.

Mma Makutsi faisait une compagnie agréable et elle tapait très bien à la machine. Elle avait dactylographié le compte rendu que lui avait dicté Mma Ramotswe sur l'affaire Malatsi, ainsi que la note d'honoraires adressée à la cliente. En dehors de cela, toutefois, elle n'avait pratiquement rien eu à faire, si bien que Mma Ramotswe en venait à se demander si l'emploi d'une secrétaire se justifiait vraiment à l'agence.

Pourtant, elle n'avait pas le choix : de quoi aurait l'air une agence de détectives sans secrétaire ? Elle serait la risée de tous et les clients — à supposer qu'il y en eût d'autres, ce qui restait à voir — risquaient d'être rebutés.

C'était à Mma Makutsi que revenait la tâche d'ouvrir le courrier, bien entendu. Il n'y en eut pas les trois premiers jours. Le quatrième, un catalogue arriva, ainsi qu'un avis concernant la taxe d'habitation, et le cinquième, parvint une lettre destinée au propriétaire précédent.

Puis, au début de la deuxième semaine, elle ouvrit une enveloppe blanche maculée de traces de doigts et lut à voix haute pour Mma Ramotswe :

Chère Mma Ramotswe,
J'ai lu dans le journal un article sur vous et sur cette grande agence de détectives que vous venez d'ouvrir là-bas, en ville. Je suis très fier pour le Botswana que nous ayons désormais une personne comme vous dans ce pays.

Je suis l'instituteur de la petite école du village de Katsana, à cinquante kilomètres de Gaborone, tout près du lieu où je suis né. Je suis allé à l'école normale il y a de nombreuses années et j'ai obtenu mon diplôme avec mention Très Bien. Ma femme et moi avons deux filles et un fils de onze ans. Ce fils a disparu et personne ne l'a revu depuis deux mois.

Nous avons prévenu la police. Nous avons mené des recherches intensives et posé des questions partout. Personne ne sait la moindre chose sur notre fils. J'ai pris plusieurs congés pour fouiller tous les alentours de notre village. Nous avons à proximité plusieurs *kopje* avec des rochers et des grottes. J'ai exploré chacune de ces grottes, j'ai inspecté chaque fissure. Mais il n'y avait pas la moindre trace de mon fils.

C'était un garçon qui aimait se promener, parce qu'il portait un très fort intérêt à la nature. Il ramassait toujours des pierres et des objets comme ça. Il savait beaucoup de choses sur la savane et ne se serait jamais mis en danger par bêtise. Il n'y a plus de léopards dans cette partie du pays et nous sommes trop loin du Kalahari pour que les lions s'aventurent par chez nous.

Je suis allé partout, j'ai appelé, appelé, mais mon fils ne m'a jamais répondu. J'ai regardé dans les puits de chaque ferme et de chaque village des environs, j'ai demandé à tous les fermiers de vérifier leur eau. Mais personne n'a trouvé le moindre signe.

Comment un enfant peut-il s'évanouir de la surface de la terre comme cela ? Si je n'étais pas chrétien, je dirais qu'un mauvais esprit l'a enlevé et l'a emporté loin d'ici. Mais je sais que ce genre de choses n'arrive pas dans la réalité.

Je ne suis pas très riche. Je n'ai pas les moyens de m'offrir les services d'un détective privé, mais je vous demande, Mma, au nom de Jésus-Christ, de m'aider d'une toute petite façon. S'il vous plaît, quand vous menez vos enquêtes pour d'autres affaires et que vous parlez à des gens qui sont un peu au courant de tout ce qui se passe, je vous en prie, demandez-leur s'ils n'auraient pas entendu parler d'un garçon appelé Thobiso, âgé de onze ans et quatre mois, qui est le fils de l'instituteur du village de Katsana. S'il vous plaît, posez-leur simplement la question, et s'ils vous apprennent quoi que ce soit, je vous en prie, envoyez un petit mot au signataire de la présente, moi-même, l'instituteur.

Au nom du Ciel, Ernest Molai Pakotati, instituteur diplômé.

Mma Makutsi cessa de lire et regarda Mma Ramotswe. Pendant quelques instants, ni l'une ni l'autre ne parla. Puis Mma Ramotswe rompit le silence.

— Êtes-vous au courant de cette affaire ? demanda-t-elle. Avez-vous entendu parler d'un enfant disparu ?

Mma Makutsi fronça les sourcils.

— Cela me dit quelque chose, oui... Je crois qu'il y a eu un article dans le journal au sujet de recherches pour retrouver un jeune garçon. On pensait, il me semble, qu'il avait fait une fugue pour une raison ou pour une autre.

Mma Ramotswe se leva et prit la lettre des mains de la secrétaire. Elle la tint comme on pourrait tenir une pièce à conviction devant un tribunal : avec la plus grande précaution, de manière à ne pas endommager les preuves qu'elle contient. Elle avait l'impression que cette lettre (simple feuille de papier, si légère) portait le poids d'une immense douleur.

— Je ne pense pas pouvoir faire grand-chose, dit-elle doucement. Bien sûr, je vais ouvrir les yeux et les oreilles. Je peux promettre cela à ce pauvre père, mais quoi d'autre ? Il doit bien connaître la savane qui entoure Katsana. Il doit bien connaître les gens. Je ne vois pas ce que je pourrais faire pour lui.

Mma Makutsi parut soulagée.

— Non, dit-elle. Nous ne pouvons pas aider ce malheureux.

Une lettre fut dictée par Mma Ramotswe et Mma Makutsi la tapa avec soin à la machine. Puis on la mit sous enveloppe, on colla un timbre dans le coin droit et on la plaça sur le plateau rouge que Mma Ramotswe venait d'acheter à la Grande Librairie du Botswana. C'était la deuxième lettre qui quittait l'Agence N° 1 des Dames Détectives, la première étant la facture de deux cent cinquante pula adressée à Mma Malatsi, facture en haut de laquelle Mma Makutsi avait tapé : « Votre défunt mari — élucidation du mystère de son décès. »

Ce soir-là, dans sa maison de Zebra Drive, Mma Ramotswe se prépara un ragoût et du potiron pour le dîner. Elle aimait rester à la cuisine, à remuer le contenu de la marmite tout en repensant aux événements de sa journée et en sirotant du thé rouge dans une grande tasse, qu'elle posait parfois en équilibre sur le bord de la cuisinière à gaz. Il s'était passé plusieurs choses aujourd'hui, en plus de l'arrivée de la lettre. Un homme s'était présenté pour une ancienne dette qu'il voulait recouvrer et elle avait accepté à contrecœur de l'aider. Elle n'était pas sûre que ce genre de mission entrât réellement dans le cadre du métier de détective privé — le manuel ne soufflait mot à ce sujet —, mais l'homme avait insisté et elle n'avait pu refuser. Puis il y avait eu la visite d'une femme qui s'inquiétait au sujet de son mari.

— Quand il rentre à la maison, il sent le parfum, expliqua-t-elle. Et il sourit aussi. Un homme qui sent le parfum et qui sourit en arrivant chez lui, c'est tout de même bizarre, non ?

— Peut-être qu'il voit une autre femme ? avait hasardé Mma Ramotswe.

La cliente l'avait dévisagée, frappée d'horreur.

— Vous croyez qu'il ferait ça ? Mon mari ?

Elles avaient évoqué la situation et décidé que la femme questionnerait son mari.

— Il peut aussi y avoir une autre explication, avait avancé Mma Ramotswe d'une voix rassurante.

— Laquelle ?

— Euh...

— Beaucoup d'hommes se parfument de nos jours, intervint Mma Makutsi. Ils espèrent sentir bon. Vous savez à quel point les hommes sentent fort...

La cliente s'était retournée sur sa chaise et avait fixé Mma Makutsi d'un œil dur.

— Mon mari ne sent pas fort, avait-elle déclaré. C'est un homme extrêmement propre.

Mma Ramotswe avait décoché un regard sévère à sa secrétaire. Il faudrait lui toucher deux mots à l'occasion, pour la prier de ne pas intervenir quand on recevait des clients.

Mais malgré tout ce qui s'était passé dans la journée, les pensées de Mma Ramotswe revenaient sans cesse à la lettre du maître d'école et à l'histoire du garçon disparu. Comme le pauvre homme avait dû se tourmenter ! Sans parler de la mère. Il n'avait rien dit de la mère, mais il devait y en avoir une, ou une grand-mère, bien sûr. Quelles idées avaient dû leur torturer l'esprit tandis que les heures passaient sans nouvelles et que l'enfant se trouvait peut-être en danger, coincé dans un ancien puits de mine, trop faible pour continuer à crier alors que les secouristes étaient là, juste au-dessus de lui, à le rechercher. Ou kidnappé, qui sait ? Enlevé dans la nuit. Quel cœur cruel pouvait faire une chose pareille à un enfant innocent ? Comment peut-on résister aux pleurs d'un petit garçon qui vous supplie de le ramener chez lui ? L'idée qu'un tel drame pût se produire ici, au Botswana, la fit frissonner d'effroi.

Elle commença à se demander si elle était vraiment faite pour ce métier. C'était bien joli de penser que l'on allait aider les gens à se dépêtrer de leurs difficultés, mais ces difficultés se révélaient parfois déchirantes. L'affaire Malatsi, elle, avait été étrange. Mma Ramotswe avait cru que sa cliente s'effondrerait à l'annonce de la mort atroce de son mari, dévoré par un crocodile, mais elle n'avait pas paru ébranlée pour deux sous. Qu'avait-elle dit ? Vous savez, je suis une femme très occupée ! Quelle incroyable réaction, quelle insensibilité pour une femme qui venait de perdre son mari ! N'avait-elle donc pas la moindre estime pour lui ?

Mma Ramotswe s'interrompit et tourna la cuillère dans le ragoût qui mijotait. Lorsque Mma Christie décrivait des personnages qui se montraient indifférents à ce point, c'était pour éveiller la suspicion du lecteur. Qu'aurait-elle pensé si elle avait été témoin de la froide réaction de Mma Malatsi, de son total détachement ? Elle se serait dit : cette femme a tué son mari ! C'est pourquoi la nouvelle du décès la laisse de marbre. Elle savait dès le départ qu'il était mort !

Mais alors, qu'en était-il du crocodile, du baptême et des autres pêcheurs ? Non, la femme devait être innocente. Toutefois, peut-être avait-elle souhaité la disparition de son époux et son vœu avait-il été exaucé par le crocodile. Lorsqu'il arrive un événement de ce type, cela fait-il de vous un criminel ? Dieu n'ignore rien, bien sûr, de nos mauvaises pensées, car on ne peut Lui cacher quoi que ce soit. Tout le monde sait cela.

Elle s'arrêta. Le moment était venu de sortir le potiron de la marmite pour le manger. En fin de compte, c'était ainsi que se résolvaient les grands problèmes de l'existence. Vous pouviez réfléchir et réfléchir encore sans parvenir nulle part, mais il vous fallait toujours manger votre potiron. Cela vous ramenait sur terre. Cela vous donnait une raison de continuer à vivre. Le potiron.

CHAPITRE VIII

Conversation avec Mr. J.L.B. Matekoni

Les comptes se présentaient mal. Au terme de son premier mois d'existence, l'Agence N° 1 des Dames Détectives accusait un déficit patent. Il y avait eu trois clients payants, ainsi que deux autres qui étaient venus demander conseil, avaient obtenu satisfaction, mais refusaient de payer. Mma Malatsi avait acquitté sa note de deux cent cinquante pula, Happy Bapetsi avait payé deux cents pula pour confondre son faux père, et un commerçant de la ville cent pula pour découvrir qui utilisait son téléphone pour passer des communications longue distance vers Francistown. En additionnant toutes ces recettes, on obtenait le chiffre de cinq cent cinquante pula. Seulement, le salaire mensuel de Mma Makutsi s'élevait à cinq cent quatre-vingts pula. Cela signifiait donc qu'il existait un déficit de trente pula, avant même de prendre en compte les autres frais tels que l'essence pour la petite fourgonnette blanche et l'électricité pour l'agence.

Bien sûr, il faut un certain temps à n'importe quelle entreprise pour démarrer, Mma Ramotswe le comprenait, mais combien de temps peut-on tourner à perte ? Il lui restait un peu d'argent de son héritage, mais elle ne pourrait compter dessus indéfiniment. Elle regrettait de ne pas avoir écouté son père : il voulait qu'elle achète une boucherie, ce qui aurait été bien plus sûr. Comment disait-on, déjà? Un placement de père de famille, c'était ça. Mais où trouver de l'exaltation là-dedans?

Elle songea à Mr. J.L.B. Matekoni, le propriétaire du garage Tlokweng Road Speedy Motors. Voilà une affaire qui devait rapporter. Il ne manquait jamais de clients, car personne n'ignorait quel bon mécanicien c'était. Il s'agissait là d'une différence capitale entre eux, se dit-elle : contrairement à elle, il savait ce qu'il faisait.

Mma Ramotswe connaissait Mr. J.L.B. Matekoni depuis des années. Celui-ci était originaire de Mochudi et son oncle était un très bon ami de son père à elle. Mr. J.L.B. Matekoni avait quarante-cinq ans — dix ans de plus qu'elle — mais il se considérait comme son contemporain et disait souvent, lorsqu'il faisait une observation sur le monde : « Pour les gens de notre âge... »

C'était un homme de compagnie agréable et Mma Ramotswe se demandait pourquoi il ne s'était jamais marié. Il n'était pas beau, mais avait un visage ouvert et rassurant. Il aurait été le genre d'époux que toute femme rêve d'avoir à la maison : bon bricoleur, ne découchant pas et aidant même, à l'occasion, aux travaux ménagers... ce qui ne viendrait même pas à l'idée de la plupart des hommes...

Et pourtant il vivait seul dans une grande maison, près de l'ancien terrain d'aviation. Lorsqu'elle passait devant, elle le voyait parfois sous sa véranda : Mr. J.L.B. Matekoni, seul, assis sur une chaise, le regard fixé sur les arbres qui poussaient dans son jardin. A quoi pensait un homme comme lui? Était-il en train de réfléchir au bonheur que ce serait d'avoir une épouse, et des enfants qui s'ébattraient dans le jardin, ou pensait-il à son garage et aux voitures qu'il avait réparées? C'était impossible à dire.

Elle aimait lui rendre visite au garage et bavarder avec lui dans le bureau graisseux, au milieu des piles de reçus et de bons de commande de pièces détachées. Elle aimait regarder les calendriers aux murs, avec ces illustrations toutes simples qui plaisent aux hommes. Elle aimait boire du thé dans l'une de ses tasses maculées d'empreintes de doigts, pendant que les deux employés hissaient des voitures sur des crics pour se glisser dessous, qu'ils les démontaient ou frappaient la tôle en cadence.

Mr. J.L.B. Matekoni appréciait lui aussi ces rencontres. Ensemble, ils parlaient de Mochudi, ou de politique, quand ils ne se contentaient pas d'échanger les nouvelles du jour. Il lui disait quelles personnes avaient des problèmes avec leur voiture et ce qui ne fonctionnait pas dans la mécanique, ou encore, qui était venu prendre de l'essence et pour aller où.

Ce jour-là toutefois, c'était de finances qu'ils parlaient, et des problèmes que pose la gestion d'une entreprise à but lucratif.

— C'est le personnel qui coûte le plus cher, expliqua Mr. J.L.B. Matekoni. Tu vois ces deux petits qui s'activent là-bas, sous la voiture ? Tu n'as pas idée de ce qu'ils me coûtent. Entre les salaires, les impôts, l'assurance qui les couvre pour le cas où cette voiture leur tomberait sur la tête... Tout cela s'additionne ! Et à la fin de la journée, il ne me reste qu'un ou deux pula à peine. Jamais beaucoup plus.

— Mais au moins, tu ne travailles pas à perte, fit remarquer Mma Ramotswe. Ce premier mois d'activité, j'ai eu un déficit de trente pula. Et je suis sûre que cela va aller de mal en pis.

Mr. J.L.B. Matekoni poussa un soupir.

— Le personnel coûte cher, insista-t-il. Cette secrétaire que tu as... la femme aux grosses lunettes. C'est chez elle que partira tout ton argent.

Mma Ramotswe hocha la tête.

— Je le sais, dit-elle. Mais quand on possède une agence, on est obligé d'avoir une secrétaire. Si je n'en avais pas, je serais coincée là-bas toute la journée. Je ne pourrais pas venir bavarder ici avec toi. Je ne pourrais pas aller faire mes courses.

Mr. J.L.B. Matekoni prit sa tasse de thé.

— Dans ce cas, il faut que tu trouves de meilleurs clients, conclut-il. Il te faut deux ou trois grosses affaires. Il faut que quelqu'un de riche te confie une enquête.

— Quelqu'un de riche ?

— Oui. Quelqu'un comme... comme Mr. Patel, par exemple.

— Pourquoi Mr. Patel aurait-il besoin d'un détective privé ?

— Les riches ont leurs problèmes, affirma Mr. J.L.B. Matekoni. On ne sait jamais.

Ils demeurèrent silencieux, observant les deux jeunes mécaniciens qui démontaient la roue de la voiture sur laquelle ils travaillaient.

— Quels imbéciles ! soupira Mr. J.L.B. Matekoni. Ils n'ont pas besoin de faire ça.

— J'ai beaucoup réfléchi, reprit soudain Mma Ramotswe. J'ai reçu une lettre l'autre jour. Elle m'a fait de la peine et je me suis demandé si le métier de détective était vraiment pour moi.

Elle lui parla du garçon disparu et expliqua le sentiment d'impuissance qu'elle avait ressenti à la lecture de la lettre.

— Je ne pouvais pas l'aider, ajouta-t-elle. Je ne suis pas une faiseuse de miracles. Mais je suis vraiment triste pour lui. Il imagine que son fils est tombé dans la savane ou qu'il a été emporté par un animal sauvage. Comment un père peut-il supporter cela ?

Mr. J.L.B. Matekoni émit un grognement.

— J'ai lu cette histoire dans le journal, dit-il. Ils parlaient des recherches. Moi, je savais que c'était sans espoir dès le départ.

— Sans espoir ? s'étonna Mma Ramotswe. Pourquoi ?

Mr. J.L.B. Matekoni demeura un long moment sans répondre. Mma Ramotswe le regarda, puis leva les yeux vers la fenêtre et le robinier au-dehors. Ses minuscules feuilles gris-vert, fines comme des brins d'herbe, s'étaient repliées sur elles-mêmes pour mieux résister à la chaleur. Au-delà, le ciel vide était si pâle qu'il paraissait blanc. Et il y avait aussi l'odeur de la poussière...

— Parce que le petit est mort, affirma enfin Mr. J.L.B. Matekoni en dessinant en l'air un schéma imaginaire avec le doigt. Ce n'est pas un animal qui l'a capturé, en tout cas pas un animal ordinaire. Un *santawana,* peut-être, ou un *thokolosi.* Eh oui...

Mma Ramotswe garda le silence. Elle se figura le père — le père de l'enfant mort — et, l'espace d'un instant, lui revint le souvenir de cet affreux après-midi à Mochudi, à l'hôpital, lorsque l'infirmière s'était avancée vers elle en arrangeant son uniforme, et qu'elle avait remarqué que cette infirmière pleurait. Perdre un enfant de cette façon était une chose qui pouvait arrêter net votre univers. Jamais plus on ne revoyait le monde tel qu'il était auparavant. Les étoiles s'effaçaient. La lune disparaissait. Les oiseaux ne chantaient plus.

— Pourquoi dis-tu qu'il est mort ? demanda-t-elle. Il est possible qu'il se soit perdu et qu'ensuite...

Mr. J.L.B. Matekoni secoua la tête.

— Non, dit-il. Ce garçon a dû être kidnappé pour la sorcellerie. Il est mort à présent.

Elle reposa sa tasse vide sur la table. Dehors, dans l'atelier, une clé en croix heurta le sol dans un fracas métallique.

Elle jeta un coup d'œil à son ami. C'était un sujet que l'on n'abordait jamais, le sujet propre à insuffler la peur dans les cœurs les plus résolus. C'était le grand tabou.

— Comment peux-tu en être si sûr ?

Mr. J.L.B. Matekoni sourit.

— Allons, voyons, Mma Ramotswe ! Tu sais aussi bien que moi ce qui se passe ! On n'aime pas beaucoup en parler, hein ? Parce que c'est la chose dont nous autres Africains avons le plus honte. Nous savons que ça existe, mais nous faisons semblant de rien. Nous savons très bien ce qui arrive aux enfants qui disparaissent. Nous le savons pertinemment.

Elle leva les yeux vers lui. Bien sûr qu'il disait vrai, parce que c'était un homme sincère et bon. Et il avait sans doute raison... Même si tout le monde préférait chercher d'autres explications, plus innocentes, sur ce qui était arrivé à cet enfant disparu, la chose la plus probable était exactement celle évoquée par Mr. J.L.B. Matekoni. Le garçon avait été enlevé par un sorcier et tué pour fabriquer des remèdes. Ici même, au Botswana, à la fin du XXe siècle, sous ce fier drapeau, au milieu de tout ce qui faisait du Botswana un pays moderne, cette chose s'était produite, ce cœur des ténèbres avait résonné comme une grosse caisse. Le petit garçon avait été assassiné parce qu'un personnage puissant, quelque part, avait chargé un sorcier de lui confectionner des fortifiants.

Elle baissa les yeux.

— Tu as peut-être raison, dit-elle. Ce pauvre petit...

— Bien sûr que j'ai raison ! s'exclama Mr. J.L.B. Matekoni. Et pourquoi crois-tu que ce malheureux instituteur se soit trouvé obligé de t'écrire cette lettre ? Parce que la police ne lèvera pas le petit doigt pour découvrir comment et où les choses se sont déroulées. Parce qu'elle a peur. Parce que tout le monde a peur.

Tout le monde a peur, comme moi et comme ces deux garçons, là-bas, sous la voiture. Peur pour notre vie, Mma Ramotswe ! Terrifiés. Nous tous. Peut-être même toi...

Ce soir-là, Mma Ramotswe se mit au lit à dix heures, soit une demi-heure plus tard que de coutume. Elle aimait parfois garder la lampe de chevet allumée pour lire un magazine. A présent, elle se sentait fatiguée et le magazine ne cessait de lui glisser des mains, réduisant à néant ses efforts pour rester éveillée.

Elle éteignit la lumière et dit ses prières, murmurant les paroles bien qu'il n'y eût personne dans la maison qui pût l'entendre. Elle faisait toujours la même prière, pour l'âme de son père, Obed, pour le Botswana et pour la pluie qui ferait pousser les récoltes et grossir le bétail, et pour sa petite fille, en sécurité à présent dans les bras de Jésus.

Aux petites heures du jour, elle se réveilla en sursaut, le cœur battant la chamade, la bouche sèche. Elle se redressa et tendit la main vers l'interrupteur, mais lorsqu'elle alluma, rien ne se produisit. Elle repoussa son drap — avec la chaleur qui régnait, on dormait sans couverture — et sortit du lit.

Les lumières du couloir ne fonctionnaient pas non plus, ni celles de la cuisine, où la lune dessinait des ombres au sol. Elle regarda par la fenêtre, vers la nuit. Il n'y avait de lumière nulle part : panne de courant.

Elle ouvrit la porte de derrière et sortit pieds nus dans la cour. La ville était plongée dans l'obscurité, les arbres n'étaient que des formes étranges, méconnaissables, des morceaux de noir.

— Mma Ramotswe !

Elle s'immobilisa, pétrifiée de terreur. Il y avait quelqu'un dans la cour, quelqu'un qui la regardait. Quelqu'un avait chuchoté son nom.

Elle ouvrit la bouche, mais aucun son ne vint. De toute façon, il serait dangereux de parler. Elle entreprit de reculer, à pas lents, centimètre par centimètre, vers la cuisine. Une fois à l'intérieur, elle claqua la porte et chercha la serrure à tâtons. Au moment où elle tournait la clé, l'électricité revint et la cuisine se trouva inondée de lumière. Le frigo se mit à ronronner et, sur la cuisinière, des chiffres lumineux clignotèrent : 3.04, 3.04.

CHAPITRE IX

Le petit ami

Il existait dans le pays trois résidences tout à fait exceptionnelles, et l'idée qu'elle avait été invitée dans deux d'entre elles procurait à Mma Ramotswe une certaine satisfaction. La plus connue était Mokolodi, sorte d'immense château à l'architecture loufoque construit en pleine savane, au sud de Gaborone. Cette bâtisse, qui comprenait un corps de garde aux grilles ouvragées sculptées de calaos, était sans doute la construction la plus prestigieuse du pays, bien plus impressionnante que la Phakadi House, au nord, que Mma Ramotswe estimait un peu trop proche des bassins d'eaux usées. Cette situation offrait néanmoins ses avantages, dans la mesure où les bassins attiraient une infinie variété d'oiseaux. De la véranda de Phakadi, on pouvait suivre les vols de flamants atterrissant sur les eaux verdâtres. L'observation devenait toutefois impossible lorsque le vent soufflait dans la mauvaise direction, ce qui arrivait souvent.

Quant à la troisième maison, on pouvait seulement la soupçonner d'être exceptionnelle, car très peu de personnes avaient été conviées à y pénétrer. La population de Gaborone devait donc fonder son jugement sur ce qu'on en distinguait de l'extérieur — c'est-à-dire presque rien, puisque de hauts murs blancs l'entouraient —, ou sur les récits des rares individus qui avaient été convoqués à l'intérieur dans un but particulier. Tous ces récits sans exception faisaient l'éloge de l'opulence absolue de la maison.

— C'est Buckingham Palace ! avait affirmé une femme, que les maîtres des lieux avaient un jour chargée de la décoration florale à l'occasion d'une fête de famille. Et peut-être même encore mieux ! Je suis sûre que la reine vit beaucoup plus simplement que ces gens-là.

« Ces gens-là », c'était la famille de Mr. Paliwalar Sundigar Patel, propriétaire de huit magasins — cinq à Gaborone et trois à Francistown —, d'un hôtel à Orapa et d'une grande surface de prêt-à-porter à Lobatse. Cet homme était indubitablement l'un des plus riches du Botswana, sinon le plus riche, mais pour les Batswana, cela ne comptait guère dans la mesure où il n'avait pas placé le moindre pula dans l'acquisition de bétail et où l'argent non investi dans un troupeau, comme chacun savait, n'était que poussière dans la bouche.

Mr. Paliwalar Patel était arrivé au Botswana en 1967, à l'âge de vingt-cinq ans. Il n'avait guère d'argent en poche à l'époque, mais son père, négociant dans une région reculée du Zoulouland, lui avait avancé de quoi acquérir son premier magasin dans l'African Mall. La boutique avait connu un grand succès : Mr. Patel achetait à prix dérisoire des marchandises à des commerçants pris à la gorge et les revendait ensuite en réalisant un profit minime. Les affaires devinrent florissantes et les magasins se multiplièrent, toujours gérés dans le même esprit. Le jour de son cinquantième anniversaire, Mr. Patel décida de ne plus chercher à étendre son empire et de se concentrer sur l'amélioration et l'éducation de sa famille.

Celle-ci comptait quatre enfants : un fils, Wallace, des jumelles, Sandri et Pali, et la benjamine, nommée

Nandira. Wallace avait été envoyé dans un pensionnat très huppé du Zimbabwe, afin de satisfaire les ambitions de Mr. Patel, qui voulait le voir devenir un gentleman. Là-bas, il avait appris le cricket et la cruauté. Il avait été admis à l'université dentaire à la suite d'un généreux don de Mr. Patel, et était ensuite retourné à Durban, où il avait ouvert une clinique de dentisterie plastique. Il avait alors raccourci son nom — « pour des raisons de commodité » — et était devenu Mr. Wallace Pate B.D.S.[1] (Natal).

A l'annonce de cette modification, Mr. Patel avait protesté.

— Pourquoi es-tu devenu ce Mr. Wallace Pate B.D.S. (Natal), je peux le savoir? Pourquoi? Tu as honte ou quoi? Tu penses que, moi, je ne suis que Mr. Paliwalar Patel B.A.[2] (Non reçu), c'est ça?

Le fils s'était efforcé d'apaiser son père.

— C'est plus simple d'avoir un nom court. Pate, Patel, c'est la même chose, alors pourquoi s'embarrasser d'une lettre en plus? Nous vivons dans une époque moderne où l'idée, c'est de faire court. Il faut vivre avec son temps. Tout est moderne, même les noms!

Les jumelles, pour leur part, n'avaient pas eu de telles prétentions. Toutes deux avaient été expédiées au Natal pour y trouver des maris, ce qu'elles avaient fait de la manière souhaitée par leur père. A présent, les deux gendres travaillaient dans l'affaire familiale et se révélaient doués pour les chiffres et dotés d'une bonne compréhension de l'importance de maintenir des marges bénéficiaires étroites.

Enfin, il y avait Nandira, désormais âgée de seize ans et lycéenne dans l'établissement Maru-a-Pula de Gaborone, le meilleur et le plus cher du pays. Elle s'y

1. *Bachelor of Dental Surgery. (N.d.T.)*
2. *Bachelor of Arts. (N.d.T.)*

montrait brillante, obtenait régulièrement des bulletins élogieux et devrait faire un bon mariage le moment venu — probablement le jour de son vingtième anniversaire, âge idéal pour se marier, de l'avis de Mr. Patel, quand on était une fille.

La famille entière, y compris les gendres, les grands-parents et plusieurs cousins éloignés, vivait dans la résidence Patel, près du vieux Botswana Defence Force Club. Au départ, le terrain comportait plusieurs bâtisses de style colonial, entourées de larges vérandas et équipées de moustiquaires, mais Mr. Patel avait tout fait raser pour construire sa demeure à son idée. Celle-ci se composait de plusieurs maisons, toutes reliées entre elles, qui constituaient la résidence familiale.

— Nous autres Indiens, nous aimons vivre en communauté, avait expliqué Mr. Patel à l'architecte. Nous aimons savoir ce qui se passe dans la famille, vous comprenez.

L'architecte, à qui l'on avait laissé carte blanche, dessina donc une maison dans laquelle il se permit toutes sortes de fantaisies architecturales, que ses clients plus exigeants ou moins fortunés lui avaient toujours refusées au cours des ans. A son grand étonnement, Mr. Patel accepta tout, et la construction qui en résulta se révéla tout à fait à son goût. L'intérieur fut meublé dans un style que l'on ne pourrait qualifier autrement que Rococo Delhi, avec force dorures sur les meubles et sur les rideaux et, aux murs, de coûteux portraits de saints hindous et un cerf des montagnes dont les yeux suivaient le visiteur où qu'il aille dans la pièce.

Lorsque les jumelles se marièrent, événement qui donna lieu à une cérémonie grandiose organisée à Durban et à laquelle furent conviées plus de quinze cents personnes, on leur attribua leurs propres quartiers, la maison ayant été considérablement agrandie à cette fin. Chacun des gendres reçut en outre une Mercedes-Benz rouge, avec ses initiales gravées sur la portière du conducteur. Cela obligea à agrandir également le garage, puisqu'il y avait désormais quatre Mercedes-Benz à garer : celle de Mr. Patel, celle de Mrs. Patel (conduite par un chauffeur), ainsi que les deux voitures des gendres.

Le jour du mariage, à Durban, un vieux cousin avait pris Mr. Patel à part :

— Écoute, mon vieux, nous autres, les Indiens, il faut qu'on fasse attention. Tu ne dois pas étaler ton argent sur la place publique. Les Africains n'aiment pas ça, tu sais, et à la première occasion, ils nous prendront tout. Regarde ce qu'il s'est passé en Ouganda. Écoute ce que quelques têtes chaudes commencent à dire au Zimbabwe. Imagine ce que les Zoulous nous feraient s'ils en avaient l'occasion. Nous devons rester discrets.

Mr. Patel avait secoué la tête.

— Rien de tout cela ne s'applique au Botswana. Il n'y a aucun danger là-bas, je t'assure. Ce sont des gens très stables. Tu devrais les voir, avec tous leurs diamants... Les diamants apportent la stabilité à un pays, crois-moi.

Mais le cousin ne semblait pas avoir entendu.

— L'Afrique, c'est comme ça, tu comprends, poursuivit-il. Un jour, tout va bien, très bien, et le lendemain matin, tu t'aperçois en te réveillant qu'on t'a tranché la gorge. Fais attention, je t'en prie.

Mr. Patel avait pris l'avertissement à cœur, dans une certaine mesure, et il avait fait surélever le mur d'enceinte de sa résidence, de sorte que les passants ne puissent plus regarder par les fenêtres et voir le luxe de la décoration. Et si la famille continua à se déplacer dans les grosses voitures, eh bien, c'était parce qu'on en rencontrait beaucoup d'autres en ville et qu'il n'y avait aucune raison que les gens prêtent une attention particulière à celles des Patel.

Mma Ramotswe fut ravie lorsqu'elle reçut un appel téléphonique de Mr. Patel lui demandant si elle avait la possibilité de venir le voir chez lui, dans sa résidence, un jour prochain. Ils tombèrent d'accord pour se rencontrer le soir même, et elle rentra chez elle se changer et revêtir une robe plus élégante avant de se présenter à la grille. Avant de partir, elle téléphona à Mr. J.L.B. Matekoni.

— Tu m'as dit que je devrais trouver un client riche, dit-elle. Eh bien, ça y est ! Mr. Patel m'a appelée.

Mr. J.L.B. Matekoni en eut le souffle coupé.

— C'est un homme très riche, répondit-il. Il a quatre Mercedes-Benz. Quatre. Trois d'entre elles marchent bien, mais la quatrième a eu de gros ennuis de transmission. C'était un problème de couplage, l'un des plus complexes que j'aie vus dans ma carrière. Il m'a fallu des jours et des jours pour lui trouver une nouvelle boîte...

A la résidence Patel, on ne se contentait pas de pousser la grille pour entrer. On ne pouvait pas non plus se garer à l'extérieur et klaxonner, comme on le faisait ailleurs. A la résidence Patel, on actionnait une sonnette dans le mur et une voix haut perchée vous répondait dans un petit haut-parleur placé au-dessus de votre tête.

— Oui ? Résidence Patel. Que voulez-vous ?

— C'est Mma Ramotswe, répondit-elle. Dét...

Un craquement résonna dans le haut-parleur.

— Hein ? Des quoi ?

Elle allait répondre lorsqu'un nouveau craquement

se fit entendre. Alors, la grille commença à s'ouvrir. Mma Ramotswe avait laissé sa petite fourgonnette blanche à l'angle de la rue, pour sauvegarder les apparences, et elle pénétra donc à pied dans la résidence. A l'intérieur, elle se retrouva dans une cour qui avait été transformée, à l'aide de voiles dispensateurs d'ombre, en une sorte d'oasis à la végétation luxuriante. A l'extrémité se trouvait l'entrée de la maison elle-même, flanquée de hauts piliers blancs et de bacs à fleurs. Mr. Patel apparut devant la porte ouverte et lui fit signe avec sa canne.

Elle avait déjà aperçu Mr. Patel, bien sûr, et elle savait qu'il avait une jambe artificielle. Toutefois, elle ne l'avait jamais vu d'aussi près et ne s'attendait pas qu'il fût si petit. Mma Ramotswe n'était pas grande — étant gratifiée d'une corpulence généreuse plutôt que d'une haute taille —, mais Mr. Patel se trouva pourtant obligé de lever les yeux pour la regarder lorsqu'il lui serra la main et lui fit signe d'entrer.

— Êtes-vous déjà venue dans ma maison ? interrogea-t-il, bien que, évidemment, il connût la réponse à sa question. Avez-vous assisté à l'une de mes réceptions ?

C'était un autre mensonge, elle le savait. Mr. Patel ne donnait jamais de réceptions, et elle se demanda pourquoi il disait cela.

— Non, répondit-elle seulement. Vous ne m'avez jamais invitée.

— Oh, quel dommage ! fit-il dans un gloussement. C'est une grosse erreur de ma part.

Il la précéda dans le hall d'entrée, longue pièce dallée de marbre noir et blanc étincelant. Il y avait beaucoup d'objets de cuivre dans ce hall, un cuivre cher et bien astiqué, de sorte que l'effet produit était un scintillement général.

— Nous allons nous installer dans mon bureau,

dit-il. C'est mon territoire et aucun membre de ma famille n'y est admis. Ils savent qu'il ne faut pas me déranger quand j'y suis, même s'il y a le feu à la maison.

Le bureau était immense lui aussi, et dominé par une gigantesque table de travail sur laquelle étaient posés trois téléphones et un porte-stylos extrêmement élaboré. Mma Ramotswe regarda le porte-stylos, qui était constitué de plusieurs étagères de verre, elles-mêmes supportées par des défenses d'éléphant miniatures sculptées dans l'ivoire.

— Asseyez-vous, s'il vous plaît, ordonna Mr. Patel en désignant un fauteuil de cuir blanc. Il me faut à moi-même un certain temps pour m'asseoir, parce qu'il me manque une jambe. Celle-là, vous voyez. Je suis toujours à la recherche d'une meilleure jambe. Celle-ci est italienne et elle m'a coûté beaucoup d'argent, mais je pense qu'il doit en exister de meilleures. Peut-être en Amérique.

Mma Ramotswe s'enfonça dans le fauteuil et regarda son hôte.

— Je vais aller droit au but, dit Mr. Patel. On ne va pas tourner des heures autour du pot, n'est-ce pas ? Non, on ne va pas tourner autour du pot.

Il se tut, attendant une confirmation de Mma Ramotswe. Celle-ci esquissa un léger hochement de tête.

— Voyez-vous, Mma Ramotswe, je suis un homme de famille, commença-t-il. Je possède une famille heureuse, qui vit tout entière dans cette maison, à l'exception de mon fils, qui est un gentleman, dentiste à Durban. Vous avez peut-être entendu parler de lui. Les gens l'appellent Pate désormais.

— Je le connais de réputation, répondit Mma Ramotswe. On dit beaucoup de bien de lui, même ici.

Mr. Patel eut un large sourire.

— Eh bien, ma foi, voilà qui est agréable à entendre. Cependant, mes autres enfants sont eux aussi très importants à mes yeux. Je ne fais aucune différence entre eux. Ils sont tous à égalité devant moi. Tous pareils.

— C'est la meilleure attitude à avoir, assura Mma Ramotswe. Si vous en favorisez un, cela provoque beaucoup de rancœur.

— Exactement, ah, ça oui ! dit Mr. Patel. Les enfants remarquent quand leurs parents donnent deux bonbons à l'un et un seul à l'autre. Ils savent aussi bien compter que nous !

Mma Ramotswe hocha de nouveau la tête, curieuse de savoir où cette conversation les mènerait.

— Voilà ! fit Mr. Patel. A présent, mes grandes filles, les jumelles, ont fait de bons mariages avec des garçons très bien et elles vivent ici, sous ce toit. Cela est tout à fait excellent. Ce qui fait qu'il n'en reste plus qu'une, ma petite Nandira. Elle a seize ans et elle est à Maru-a-Pula. Elle travaille bien en classe, mais...

Il s'interrompit, observant Mma Ramotswe à travers ses paupières plissées.

— Les adolescents, vous savez ce que c'est, n'est-ce pas ? Vous savez ce qui se passe avec les adolescents de nos jours ?

Mma Ramotswe haussa les épaules.

— Ils causent souvent de gros soucis à leurs parents. J'ai vu des parents s'arracher les cheveux à cause de leurs enfants adolescents.

Mr. Patel leva soudain sa canne et frappa sa jambe artificielle pour appuyer ses paroles. La jambe rendit un son étonnamment creux et métallique.

— C'est ce qui m'inquiète, lança-t-il avec véhémence. C'est précisément ce qui se passe. Et je ne le tolérerai pas. Pas dans ma famille.

— Quoi ? demanda Mma Ramotswe. Les adolescents ?

— Les garçons, répondit Mr. Patel, amer. Ma petite Nandira voit un garçon en secret. Elle le nie, mais je sais qu'il y a un garçon. Et cela est inadmissible, quoi qu'en disent ces gens modernes de la ville. Cela est inadmissible dans cette famille... dans cette maison.

Tandis que Mr. Patel parlait, la porte de son bureau, qu'il avait refermée derrière eux en entrant, s'ouvrit et une servante pénétra dans la pièce. C'était une femme du pays et elle salua poliment Mma Ramotswe en setswana avant de lui proposer un plateau sur lequel étaient disposés plusieurs verres de fruits pressés. Mma Ramotswe choisit du jus de goyave et la remercia. Mr. Patel prit un jus d'orange et fit un signe impatient avec sa canne pour que la femme quitte la pièce. Il attendit que la porte se soit refermée avant de poursuivre.

— J'ai parlé de ce problème avec elle, reprit-il. Je lui ai mis les points sur les i. Je lui ai dit que les autres gosses pouvaient faire ce qu'ils voulaient, c'était le problème de leurs parents, pas le mien. Et je lui ai bien fait comprendre qu'il était hors de question qu'elle se promène en ville avec des garçons ou qu'elle voie des garçons après la classe, un point, c'est tout.

Il donna un léger coup de canne sur sa jambe artificielle et releva les yeux vers Mma Ramotswe, dans l'expectative.

Mma Ramotswe s'éclaircit la gorge.

— Vous souhaitez que j'intervienne dans cette affaire ? interrogea-t-elle doucement. C'est pour cela que vous m'avez fait venir ici ce soir ?

Mr. Patel hocha la tête.

— Exactement. Je veux que vous découvriez qui est ce garçon. Comme cela, je pourrai aller lui dire deux mots.

Mma Ramotswe dévisagea Mr. Patel. Avait-il la

moindre idée, se demanda-t-elle, de la façon dont se comportaient les jeunes de nos jours, surtout dans un lycée comme Maru-a-Pula, où venaient étudier tous les enfants étrangers du pays, y compris ceux du personnel de l'ambassade américaine ? Elle avait entendu parler des pères indiens qui voulaient arranger les mariages de leurs filles, mais jamais encore elle ne s'était trouvée confrontée à cette attitude. Et voilà que Mr. Patel était là, devant elle, convaincu qu'elle abonderait dans son sens, qu'elle verrait les choses du même œil que lui !

— Ne vaudrait-il pas mieux discuter avec elle ? suggéra-t-elle d'une voix bienveillante. Si vous lui demandiez qui est ce garçon, peut-être qu'elle vous le dirait.

Mr. Patel saisit sa canne pour en tapoter à plusieurs reprises sa jambe de fer.

— Pas du tout ! rétorqua-t-il d'une voix stridente. Pas du tout. Cela fait déjà trois semaines que je lui pose la question, peut-être même quatre. Elle ne me répond pas. Elle fait l'idiote. Son silence, c'est de l'insolence !

Mma Ramotswe se mit à observer ses pieds, consciente du regard scrutateur que Mr. Patel faisait peser sur elle. Elle avait érigé comme principe professionnel de ne jamais rejeter un client, sauf bien sûr si on lui demandait d'accomplir un acte illégal. Jusque-là, cette règle semblait avoir porté ses fruits : elle s'était aperçue que l'idée de départ qu'elle pouvait avoir sur une personne, sur ses raisons et sur ses torts, se modifiait généralement à mesure qu'elle découvrait les facteurs en jeu. Peut-être le même phénomène se produirait-il avec Mr. Patel ? Et même si ce n'était pas le cas, avait-elle d'assez bonnes raisons pour repousser sa demande ? De quel droit condamner un père indien anxieux, alors qu'elle ne savait à peu près rien du mode de vie de ces gens? Elle éprouvait une sympathie naturelle envers la jeune fille, bien sûr. Quelle terrible malchance d'avoir un père comme celui-là, soucieux de tenir son entourage enfermé dans une cage dorée! Son père à elle n'avait jamais cherché à mettre son grain de sel dans la vie qu'elle s'était choisie. Il lui avait fait confiance et elle, en retour, ne lui avait jamais rien caché... hormis ce qui concernait Note, peut-être.

Elle releva la tête. Mr. Patel la fixait de ses yeux noirs, frappant presque imperceptiblement le sol du bout de sa canne.

— Je ferai ce que vous me demandez, déclara-t-elle. Mais je dois vous avouer que cette mission ne me plaît pas beaucoup. L'idée de surveiller un enfant me gêne un peu.

— Mais les enfants doivent être surveillés! protesta Mr. Patel. Si les parents ne surveillent pas leurs enfants, qu'est-ce qui se passe? Vous pouvez me le dire?

— Il vient un moment où un enfant doit commencer à mener sa propre existence, affirma Mma Ramotswe. Nous devons l'accepter.

— N'importe quoi! hurla Mr. Patel. Voilà encore une de ces idées modernes! Mon père à moi m'a battu alors que j'avais vingt-deux ans! Oui, il m'a battu parce que j'avais commis une erreur à la boutique. Et je le méritais. J'en ai par-dessus la tête de ces imbécillités modernes, vous savez!

Mma Ramotswe se leva.

— Je suis une femme moderne, dit-elle, et nous avons donc des divergences d'opinion. Mais cela n'a pas la moindre importance. J'ai accepté de faire ce que vous me demandiez. Maintenant, vous devez me montrer une photographie de votre fille, afin que je sache qui je dois surveiller.

Mr. Patel se releva à grand-peine, saisissant la jambe artificielle à deux mains pour la déplier.

— Pas besoin de photographie, répondit-il. Je vais vous montrer ma fille en chair et en os. Vous pourrez la regarder.

Mma Ramotswe leva les mains pour protester.

— Si vous faites cela, elle aussi me verra, objecta-t-elle. Pour mener mon enquête, je dois pouvoir passer inaperçue.

— Ah ! fit Mr. Patel. Très judicieux ! Vous autres détectives, vous êtes très intelligents.

— Intelligentes, rectifia Mma Ramotswe.

Mr. Patel lui jeta un regard en biais, mais garda le silence. Il n'avait pas de temps à perdre avec les idées modernes.

En quittant la maison, Mma Ramotswe songea : Cet homme a quatre enfants et, moi, je n'en ai pas. Mais cet homme n'est pas un bon père, parce qu'il aime trop ses enfants. Il les considère comme sa propriété. Il faut accepter de se détacher. Accepter.

Et elle se souvint de ce jour où, pas même soutenue par Note, qui avait inventé une excuse pour ne pas venir, elle avait posé dans la terre le tout petit corps de son bébé prématuré, si fragile, si léger, puis levé les yeux vers le ciel et voulu dire quelque chose à Dieu, mais sans y parvenir, car sa gorge était bloquée par les sanglots et aucune parole, rien, n'avait pu la franchir.

Pour Mma Ramotswe, l'enquête s'annonçait simple. En règle générale, la filature était un exercice difficile dans la mesure où, à tout moment du jour et de la nuit, il fallait savoir ce que faisait la personne en question. Cela impliquait de longues attentes devant des maisons ou des bureaux, sans rien d'autre à faire que de surveiller la sortie. Nandira, pour sa part, serait au lycée une grande partie de la journée, bien sûr, de sorte que Mma Ramotswe pourrait s'occuper à d'autres choses jusqu'à trois heures de l'après-midi, heure de la fin des cours. Dès lors, il faudrait suivre la jeune fille et voir où elle se rendait.

Puis Mma Ramotswe songea soudain que surveiller un enfant pouvait poser certains problèmes. C'était une chose de prendre en filature un individu qui se déplaçait en voiture ; il suffisait alors de le suivre au volant de la petite fourgonnette blanche. Mais si la personne circulait à bicyclette — comme le faisaient beaucoup d'enfants pour se rendre à l'école —, la fourgonnette roulant au ralenti sur la route risquait fort d'attirer son attention. Si la jeune fille rentrait à pied, bien sûr, Mma Ramotswe pourrait marcher elle aussi, tout en conservant une distance raisonnable entre elles. Elle pourrait même emprunter l'un des affreux chiens du voisin afin d'avoir l'air de le promener.

Le lendemain de l'entretien avec Mr. Patel, Mma Ramotswe gara sa petite fourgonnette blanche sur le parking du lycée peu avant la sonnerie annonçant la fin des cours. Les enfants commencèrent à sortir par petits groupes, et elle dut attendre trois heures vingt avant de voir Nandira franchir le seuil, son cartable dans une main et un livre dans l'autre. Elle était seule et Mma Ramotswe put l'observer à loisir depuis la fourgonnette. Elle était jolie, déjà une jeune femme en vérité, l'une de ces filles de seize ans qui en paraissent dix-neuf, voire vingt.

Elle descendit l'allée et s'arrêta un instant pour bavarder avec une autre élève, qui attendait sous un arbre que ses parents viennent la chercher. Elles discutèrent quelques minutes, puis Nandira se dirigea vers les grilles d'enceinte de l'établissement.

Mma Ramotswe attendit un peu, puis descendit de voiture. Lorsque Nandira se retrouva sur la route, elle la suivit d'un pas nonchalant. Il y avait un peu de monde et elle ne risquait guère de se faire remarquer. En cette fin d'après-midi hivernal, il était agréable de se promener. Un mois plus tard, bien sûr, la chaleur intense eût fait paraître sa présence insolite.

Elle suivit la jeune fille jusqu'au bas de la route et tourna comme elle à droite. Il était devenu clair que Nandira ne rentrait pas directement chez elle, car la résidence Patel était dans la direction opposée. Elle n'allait pas en ville non plus, ce qui signifiait qu'elle avait sans doute l'intention de rencontrer quelqu'un dans une maison, quelque part. Mma Ramotswe éprouva une certaine satisfaction : a priori, son rôle se limiterait à noter l'adresse où se rendrait la jeune fille, et ce serait ensuite un jeu d'enfant que de trouver le nom du propriétaire, et donc celui du garçon. Qui sait ? Peut-être pourrait-elle retourner dès ce soir chez Mr. Patel pour lui révéler l'identité de ce dernier ? Cela impressionnerait le client, et ce serait de l'argent facilement gagné.

Nandira tourna de nouveau à l'angle de la rue. Mma Ramotswe attendit avant de lui emboîter le pas. Il ne fallait pas se laisser aller à prendre trop d'assurance, même si la personne suivie était une enfant naïve, et elle devait garder à l'esprit les règles d'or de la filature. Le manuel auquel elle se fiait, *Les Principes de l'investigation privée*, de Clovis Andersen, insistait sur l'importance de ne pas « bousculer » le sujet. « Gardez la bride lâche, écrivait Mr. Andersen, même si cela implique de perdre le sujet de temps en temps. Vous pourrez toujours retrouver sa trace par la suite. Et quelques minutes de non-contact visuel valent mieux qu'une confrontation violente. »

Mma Ramotswe considéra que le moment était venu de s'engager dans la rue, ce qu'elle fit, s'attendant à apercevoir Nandira à quelques dizaines de mètres devant elle. Toutefois, il n'en fut rien : la rue était vide. Le non-contact visuel, comme l'appelait Clovis Andersen, s'était établi. Elle se retourna et regarda dans l'autre direction. Hormis une voiture qui sortait d'une allée, il ne se passait rien.

Mma Ramotswe s'immobilisa, perplexe. C'était une rue paisible qui ne comptait guère plus de trois maisons de chaque côté, du moins dans la direction prise par Nandira. Toutes possédaient des grilles et des allées, et sachant qu'elle n'était pas restée plus d'une minute hors de vue, la jeune fille n'avait matériellement pas eu le temps de disparaître dans l'une d'elles. Mma Ramotswe l'aurait aperçue dans une allée ou devant une porte.

Si elle était néanmoins entrée dans une maison, songea Mma Ramotswe, il ne pouvait s'agir que de l'une des deux premières. Il était évident qu'elle n'avait pas eu le temps d'atteindre les autres. Ainsi la situation n'était-elle peut-être pas aussi mauvaise qu'elle y paraissait : il suffirait de vérifier dans la première maison sur la droite, puis dans celle qui lui faisait face.

Elle demeura un moment immobile, puis se décida. Marchant aussi vite que possible, elle retourna chercher sa petite fourgonnette blanche pour refaire au volant le trajet suivi tout à l'heure par la jeune fille. Elle se gara devant la maison de droite, dont elle remonta l'allée.

Lorsqu'elle frappa à la porte, un chien se mit à aboyer bruyamment dans la maison. Elle frappa de nouveau et entendit une voix qui calmait l'animal. « Doucement, Bison, doucement. Je sais, j'ai entendu. » Puis la porte s'ouvrit et une femme dévisagea Mma Ramotswe. Elle n'était pas motswana, mais devait venir d'Afrique occidentale, probablement du Ghana, à en juger par la couleur de sa peau et ses vêtements. Les Ghanéens étaient le peuple préféré de Mma

Ramotswe. Ils avaient un merveilleux sens de l'humour et étaient presque toujours de bonne humeur.

— Bonjour, Mma, dit Mma Ramotswe. Je m'excuse de vous déranger, mais je cherche Sipho.

La femme fronça les sourcils.

— Sipho? Il n'y a pas de Sipho ici.

Mma Ramotswe secoua la tête.

— Je suis sûre que c'est cette maison. Je suis professeur au collège, vous comprenez, et j'ai besoin de transmettre un message à l'un des garçons de troisième. Je croyais qu'il habitait ici.

La femme sourit.

— J'ai deux filles, dit-elle, mais pas de garçon. Si vous pouviez me procurer un fils, ce ne serait pas de refus!

— Oh, mon Dieu! soupira Mma Ramotswe en faisant mine d'être à bout de forces. C'est peut-être la maison d'en face, alors?

La femme fit non de la tête.

— C'est la famille ougandaise, dit-elle. Ils ont un fils, mais il n'a que huit ou neuf ans, je crois.

Mma Ramotswe présenta ses excuses et redescendit l'allée. Elle avait perdu la piste de Nandira dès le premier après-midi et elle se demandait si la jeune fille ne l'avait pas semée de manière délibérée. Se pouvait-il qu'elle se soit sentie suivie? Cela semblait improbable. Non, il ne fallait s'en prendre qu'à la malchance. Demain, elle redoublerait de prudence. Elle laisserait de côté Clovis Andersen et ses recommandations, quitte à bousculer le sujet.

Ce soir-là, à huit heures, elle reçut un appel de Mr. Patel.

— Vous avez du nouveau? interrogea-t-il. Des pistes?

Mma Ramotswe lui expliqua que, malheureusement, elle n'avait pas pu découvrir où s'était rendue Nandira

118

après la classe, mais qu'elle espérait avoir plus de succès le lendemain.

— Ce n'est pas très brillant, commenta Mr. Patel. Pas très brillant. Bon, moi, de mon côté au moins, j'ai quelque chose à vous révéler. Elle est rentrée du lycée trois heures après la fin des cours. Trois heures ! Et elle m'a dit qu'elle était juste allée chez quelqu'un. J'ai dit : « Quelqu'un ? Qui, quelqu'un ? » Et elle m'a répondu que c'était une camarade de classe que je ne connaissais pas. *Une* camarade. Un peu plus tard, ma femme a trouvé un petit mot sur la table, un mot que notre Nandira avait dû laisser tomber sans s'en rendre compte. Il était écrit : « A demain, Jack. » Alors qui est ce Jack, hein ? Qui est cette personne ? Ce n'est pas un nom de fille, il me semble ?

— Non, répondit Mma Ramotswe. Ça me paraît être un garçon.

— Et voilà ! s'exclama Mr. Patel, avec le ton de quelqu'un qui produisait une réponse évasive à un problème. C'est notre garçon, je pense. C'est celui que nous devons découvrir. Jack comment ? Où habite-t-il ? Et ainsi de suite... Vous devez tout me dire.

Mma Ramotswe se prépara une tasse de thé rouge et se mit au lit de bonne heure. La journée avait été peu satisfaisante à plus d'un égard et le coup de téléphone triomphal de Mr. Patel était venu la clore en beauté. Elle se coucha donc, la tasse posée sur sa table de nuit, et lut le journal jusqu'au moment où ses yeux commencèrent à se fermer et où elle sombra dans le sommeil.

Le lendemain après-midi, elle arriva en retard au parking du lycée. Elle en venait à se demander si elle n'avait pas encore une fois perdu Nandira lorsqu'elle l'aperçut qui sortait du bâtiment, accompagnée d'une autre élève. Mma Ramotswe les regarda gagner la grille et s'y arrêter. Elles semblaient en grande conversation, de cette façon particulière aux adolescents, et Mma Ramotswe se dit que si elle avait pu entendre ce qu'elles se disaient, elle aurait sans doute obtenu certaines réponses aux questions qu'elle se posait. A cet âge, les filles parlaient généralement sans détour de leurs flirts, avec des airs de conspiratrices, et elle ne doutait pas que Nandira et son amie fussent précisément en train d'évoquer ce sujet.

Soudain, une voiture bleue apparut et s'arrêta devant les deux élèves. Mma Ramotswe se raidit lorsqu'elle vit la conductrice se pencher pour ouvrir la portière avant. Nandira monta et son amie s'installa à l'arrière. Mma Ramotswe mit en marche le moteur de la petite fourgonnette blanche et quitta le parking en même temps que la voiture bleue redémarrait. Elle suivit celle-ci à une distance respectable, tout en se tenant prête à réduire l'écart au cas où elle risquerait de la perdre de vue. Elle ne voulait pas répéter son erreur de la veille et voir Nandira s'évanouir dans la nature.

La voiture bleue ne se pressait pas et Mma Ramotswe put la suivre sans peine. Elles longèrent l'*Hôtel du Soleil* et se dirigèrent vers le carrefour du stade. Là, elles prirent la direction de la ville, passèrent devant l'hôpital et la cathédrale anglicane pour gagner l'African Mall. Le centre commercial, pensa Mma Ramotswe. Elles vont simplement faire des courses. Était-ce vraiment cela? Elle avait souvent vu des adolescents se retrouver dans des lieux tels que la Grande Librairie du Botswana après les cours. Ils appelaient cela « traîner », se souvenait-elle. Ils restaient là à discuter et à se raconter des blagues en faisant tout, sauf acheter. Peut-être Nandira allait-elle là-bas pour « traîner » avec ce Jack.

La voiture bleue se gara près de l'hôtel *Président*. Mma Ramotswe trouva une place non loin et regarda les deux jeunes filles descendre, accompagnées de la conductrice, qui devait être la mère de l'amie. La femme dit quelques mots à sa fille, qui hocha la tête, puis partit en direction du supermarché.

Nandira et son amie passèrent devant les marches de l'hôtel *Président*, puis remontèrent lentement jusqu'à la poste. Mma Ramotswe les suivit sans en avoir l'air, s'arrêtant pour admirer des chemisiers à motifs africains vendus sur la place par une marchande ambulante.

— Achetez-en un, Mma ! lança la femme. C'est de la très bonne qualité. Ça ne déteint jamais. Regardez celui que je porte : je l'ai lavé dix fois, vingt fois peut-être, et les couleurs sont intactes. Regardez !

Mma Ramotswe regarda le chemisier de la femme. Elle disait vrai : les couleurs étaient intactes. Elle jeta un coup d'œil en direction des deux filles. Celles-ci contemplaient la vitrine d'un magasin de chaussures en prenant leur temps.

— Vous n'aurez pas ma taille, répondit Mma Ramotswe. Il m'en faut un très large.

La marchande examina son stock, puis regarda de nouveau Mma Ramotswe.

— Vous avez raison, dit-elle. Vous êtes trop grosse pour porter ces chemisiers. Beaucoup trop grosse.

Mma Ramotswe sourit.

— Mais ils sont très jolis, Mma, et j'espère que vous les vendrez à une jolie petite personne.

Elle se remit en marche. Les filles en avaient terminé avec la boutique de chaussures et elles avançaient à pas lents vers la Grande Librairie. Mma Ramotswe ne s'était pas trompée : elles étaient venues là pour traîner un peu.

Il y avait très peu de monde à la Grande Librairie du Botswana. Trois ou quatre hommes feuilletaient des magazines dans la section des périodiques et une ou deux personnes regardaient des livres. Les vendeurs étaient accoudés à leurs comptoirs, bavardant entre eux, et même les mouches semblaient léthargiques.

Mma Ramotswe remarqua que les deux filles étaient allées tout au fond du magasin, vers les livres écrits en setswana. Que faisaient-elles là-bas? Nandira apprenait sans doute le setswana en classe, mais il était peu probable qu'elle allât jusqu'à acheter les manuels scolaires ou les commentaires bibliques proposés dans ce rayon. Non, elles devaient attendre quelqu'un.

Mma Ramotswe se dirigea vers le rayon Afrique et prit un livre au hasard. Il était intitulé *Les Serpents d'Afrique australe* et illustré de magnifiques photographies. Elle examina celle d'un petit serpent brun et se demanda si elle en avait déjà vu de semblables. Son cousin avait été mordu des années auparavant, quand ils étaient enfants, mais cela n'avait pas porté à conséquence. Quel était ce serpent? Elle baissa les yeux vers le texte imprimé sous l'illustration et lut. Il était fort possible qu'il se soit agi du même serpent, car il était décrit comme non venimeux et pas du tout agressif. Pourtant, il avait bel et bien attaqué son cousin. A moins que ce ne soit le cousin qui l'ait attaqué? Les garçons aimaient bien attaquer les serpents. Ils leur lançaient des cailloux et semblaient incapables de les laisser tranquilles. Toutefois, elle n'était pas certaine que Putoke ait fait cela: l'incident avait eu lieu bien des années auparavant et elle ne parvenait pas à se souvenir.

Elle observa de nouveau les deux filles. Elles étaient toujours là-bas, à discuter, et l'une d'elles riait. Une histoire de garçons, songea Mma Ramotswe. Eh bien, qu'elles rient! Elles comprendront bien assez tôt que les hommes en général ne constituent pas un sujet d'hilarité. Dans quelques années, ce seraient des larmes, et non des rires, pensa-t-elle sombrement.

122

Elle se replongea dans la lecture des *Serpents d'Afrique australe*. Elle avait à présent sous les yeux un autre serpent, très dangereux celui-là. Quelle tête affreuse ! Oh ! Et ces yeux diaboliques ! Mma Ramotswe frissonna et lut : « La photographie ci-dessus présente un mamba noir mâle adulte de 1,87 mètre de long. Comme l'indique la carte de répartition, on le trouve dans toute la région, mais il a une certaine préférence pour le veld. Il diffère du mamba vert à la fois par sa localisation, son habitat et la toxicité de son venin. Ce serpent est l'un des plus dangereux d'Afrique, n'étant surpassé à cet égard que par la vipère du Gabon, une espèce rare que l'on trouve surtout en forêt dans le Zimbabwe oriental.

« Les récits d'agressions par les mambas noirs se révèlent souvent exagérés et les histoires décrivant ce serpent attaquant des cavaliers au galop et les désarçonnant sont presque certainement douteuses. Le mamba peut certes atteindre une vitesse considérable sur une très courte distance, mais il ne peut se mesurer avec un cheval. Les descriptions évoquant des morts quasi instantanées ne sont pas nécessairement plus réalistes, mais il n'en demeure pas moins que les effets du venin sont accélérés si la victime panique, ce qui se produit souvent lorsqu'on s'aperçoit qu'on a été mordu par un mamba.

« Dans un cas avéré, un jeune homme de vingt-six ans en bonne condition physique a survécu à une morsure de mamba noir à la cheville droite — il avait marché par inadvertance sur le serpent dans la brousse. Il n'avait pas de sérum à sa disposition, mais réussit apparemment à évacuer une partie du venin en s'infligeant des blessures profondes à l'endroit de la morsure (pratique qui n'est plus considérée comme très efficace de nos jours). Il parcourut ensuite six kilomètres à pied à travers la brousse pour chercher des secours et fut admis à l'hôpital deux heures plus tard. Un antivenin lui fut administré et la victime survécut sans aucune séquelle. S'il s'était agi d'une vipère heurtante, bien sûr, le délai entre la morsure et l'administration de l'antivenin aurait provoqué une nécrose considérable et le jeune homme aurait sans doute perdu sa jambe... »

Mma Ramotswe interrompit sa lecture. *Perdu sa jambe.* Dans ce cas, il aurait été obligé d'acheter une jambe artificielle. Mr. Patel. Nandira. Elle releva vivement les yeux. Ce livre sur les serpents l'avait tant absorbée qu'elle n'avait plus pris garde aux filles et à présent... Où étaient-elles ? Parties. Elles étaient parties.

Elle replaça *Les Serpents d'Afrique australe* sur l'étagère et se précipita à l'extérieur. Il y avait plus de monde à présent, car beaucoup de gens faisaient leurs courses en fin d'après-midi pour éviter la chaleur. Elle balaya la place des yeux. Elle apercevait un petit groupe d'adolescents un peu plus loin, mais il n'y avait que des garçons. Non, il y avait aussi une fille. Mais était-ce Nandira ? Non. Elle se tourna dans l'autre direction. Un homme garait sa bicyclette sous un arbre et elle remarqua que celle-ci était équipée d'une antenne de voiture. Pourquoi ?

Elle se mit en marche vers l'hôtel *Président*. Peut-être les filles étaient-elles simplement revenues à la voiture pour rejoindre la mère, auquel cas tout allait bien. Lorsqu'elle atteignit le parking, toutefois, elle vit le véhicule bleu s'éloigner vers la sortie, mais, à l'intérieur, il n'y avait que la femme. Ainsi, les filles étaient encore là, quelque part sur la place.

Mma Ramotswe revint jusqu'à l'escalier de l'hôtel *Président* et examina de nouveau la place. Elle étudia les lieux de manière systématique — comme le recommandait Clovis Andersen —, détaillant chaque groupe, scrutant chaque badaud devant les vitrines. Aucun signe des filles. Elle aperçut la vendeuse de chemisiers. Celle-ci tenait à la main un sachet duquel elle était en train de tirer ce qui ressemblait à un ver de mopane.

Mma Ramotswe s'approcha.

— Ce sont des vers de mopane ? demanda-t-elle.

La femme se retourna.

— Oui.

Elle tendit le sachet à Mma Ramotswe, qui se servit et porta à la bouche le petit ver séché. C'était une friandise à laquelle elle ne pouvait absolument pas résister.

— Vous devez voir tout ce qui se passe sur la place, lança-t-elle en avalant le ver. À rester ici comme ça.

La femme se mit à rire.

— Je vois tout le monde. Tout le monde.

— Avez-vous vu deux jeunes filles sortir de la librairie ? demanda Mma Ramotswe. Une Indienne et une Africaine ? L'Indienne fait à peu près cette taille.

La marchande prit un autre ver dans le sachet et l'avala.

— Oui, je les ai vues, répondit-elle. Elles sont allées du côté du cinéma, puis elles sont parties. Je n'ai pas vu par où.

Mma Ramotswe sourit.

— Vous devriez être détective, affirma-t-elle.

— Comme vous, fit la femme.

Cette réponse surprit Mma Ramotswe. Elle avait certes acquis une certaine célébrité, mais elle ne s'était pas imaginé qu'une marchande ambulante pût la connaître. Elle fouilla dans son sac et en tira un billet de dix pula, qu'elle mit de force dans la main de la femme.

— Merci, dit-elle. Voilà un pourboire. Et j'espère que vous pourrez de nouveau m'aider un jour.

La femme eut un sourire ravi.

— Je peux vous dire tout ce que vous voulez,

affirma-t-elle. Je suis l'œil de cette place. Ce matin, par exemple, vous voulez savoir qui parlait à qui, juste là-bas ? Vous le savez ? Vous seriez surprise si je vous le disais.

— Une autre fois, répondit Mma Ramotswe. Je garderai le contact.

Il était inutile à présent de tenter de retrouver la piste de Nandira, mais tout à fait capital d'exploiter les renseignements recueillis. Mma Ramotswe se rendit donc au cinéma, où elle demanda les horaires des séances du soir, ce qui, d'après ses conclusions, devait être précisément ce qu'avaient fait les deux jeunes filles. Puis elle regagna la petite fourgonnette blanche et rentra chez elle pour se préparer un dîner, qu'elle prit tôt afin d'aller au cinéma. Elle avait vu le titre du film ; le thème ne lui plaisait pas outre mesure, mais cela faisait au moins un an qu'elle n'était pas entrée dans une salle de cinéma et elle s'aperçut que cette perspective l'enchantait.

Elle s'apprêtait à sortir quand Mr. Patel téléphona.

— Ma fille m'a dit qu'elle allait faire ses devoirs chez une amie, déclara-t-il avec humeur. Elle me ment une fois de plus.

— Oui, répondit Mma Ramotswe, j'en ai peur. Mais je sais où elle va et j'y serai, ne vous faites pas de souci.

— Elle va retrouver ce Jack, c'est ça ? s'emporta Mr. Patel. Elle va rencontrer ce garçon ?

— Probablement, répondit Mma Ramotswe. Mais ce n'est pas la peine de vous mettre en colère. Vous aurez mon rapport demain.

— De bonne heure, je vous prie, insista Mr. Patel. Moi, je suis debout à six heures tous les matins. A six heures tapantes !

Il y avait très peu de monde dans le cinéma lorsque

Mma Ramotswe arriva. Elle choisit une place à l'avant-dernier rang, d'où elle avait une bonne vision de la porte par laquelle entraient les spectateurs. Même si Nandira et Jack arrivaient après le début de la projection, une fois la salle plongée dans l'obscurité, Mma Ramotswe distinguerait encore leurs silhouettes.

Elle reconnut plusieurs clients du cinéma. Son boucher se présenta peu après elle, accompagné de sa femme, et ils lui adressèrent un cordial signe de main. Puis ce fut une institutrice de l'école et le professeur d'aérobic de l'hôtel *Président*. Enfin, elle vit entrer l'évêque catholique, venu seul, qui mangea bruyamment du pop-corn au premier rang.

Nandira pénétra dans le cinéma cinq minutes avant le début de la séance. Elle était seule et demeura quelques instants à la porte pour inspecter la salle. Mma Ramotswe sentit le regard de la jeune fille s'attarder sur elle et elle baissa vivement la tête, faisant mine de chercher quelque chose par terre. Au bout de quelques secondes, elle se redressa. La nouvelle venue la regardait toujours. Elle plongea de nouveau vers le sol et ramassa un vieux ticket de cinéma qui traînait.

A présent, Nandira se dirigeait droit vers le rang qu'occupait Mma Ramotswe. La jeune fille s'arrêta près d'elle.

— Bonsoir, Mma, lui dit-elle poliment. La place est libre ?

Mma Ramotswe leva les yeux, feignant la surprise.

— Oui, répondit-elle. Il n'y a personne.

Nandira s'assit à côté d'elle.

— Je suis contente de voir ce film, lança-t-elle d'un ton enjoué. Cela fait longtemps que j'en avais envie.

— C'est bien, répondit Mma Ramotswe. C'est agréable de voir un film quand on en a envie depuis longtemps.

Le silence s'installa. La jeune fille regardait Mma

Ramotswe, qui se sentait très mal à l'aise. Qu'aurait fait Clovis Andersen dans cette situation ? Elle était sûre d'avoir lu quelque chose à ce propos dans le manuel, mais ne parvenait pas à s'en souvenir : le cas où c'était le sujet qui vous bousculait, et non plus l'inverse.

— Je vous ai vue cet après-midi, reprit Nandira. Je vous ai vue à Maru-a-Pula.

— Ah oui, dit Mma Ramotswe. J'attendais quelqu'un.

— Ensuite, je vous ai vue à la Grande Librairie de l'African Mall, poursuivit la jeune fille. Vous regardiez un livre.

— C'est exact, répondit Mma Ramotswe. J'avais envie d'acheter un livre.

— Ensuite, vous avez interrogé Mma Bapitse à mon sujet, continua tranquillement Nandira. C'est la vendeuse de chemisiers. Elle m'a dit que vous lui aviez posé des questions sur moi.

Mma Ramotswe songea en son for intérieur qu'il faudrait se méfier de Mma Bapitse à l'avenir.

— Pourquoi me suivez-vous ? enchaîna Nandira en se tournant sur son fauteuil pour mieux la dévisager.

Mma Ramotswe réfléchit très vite. Il était inutile de nier, autant s'efforcer de tirer parti de cette situation délicate. Elle rapporta donc à Nandira les inquiétudes de son père et la mission que ce dernier lui avait confiée.

— Il veut savoir si, oui ou non, vous voyez des garçons, expliqua-t-elle. Il se fait du souci à ce sujet.

Cela parut plaire à Nandira.

— Eh bien, il se fait peut-être du souci, mais il ne doit s'en prendre qu'à lui-même si je continue à sortir avec des garçons.

— Car c'est le cas ? s'enquit Mma Ramotswe. Vous sortez avec beaucoup de garçons ?

Nandira hésita. Puis, d'un ton calme :

— Non, dit-elle. Non, pas vraiment.

— Et ce Jack ? demanda Mma Ramotswe. Qui est-ce ?

Pendant un long moment, il sembla que Nandira n'allait pas répondre à la question. Voilà qu'un nouvel adulte se mêlait de sa vie privée ! Pourtant, il y avait chez Mma Ramotswe quelque chose qui lui plaisait. Peut-être cette femme pourrait-elle lui être utile, après tout ? Peut-être...

— Jack n'existe pas, dit-elle à mi-voix. Je l'ai inventé.

— Mais pourquoi ?

Nandira haussa les épaules.

— Je veux qu'ils... que ma famille s'imagine que j'ai un petit ami, expliqua-t-elle. Je veux qu'ils croient que c'est un garçon que j'ai choisi moi-même, et non quelqu'un qu'ils m'imposent parce qu'ils l'estiment bien pour moi.

Elle s'interrompit.

— Est-ce que vous comprenez ? ajouta-t-elle.

Mma Ramotswe réfléchit. Elle éprouvait de la peine pour cette pauvre enfant surprotégée et imaginait sans difficulté que dans une telle situation l'on puisse avoir envie de s'inventer un petit ami.

— Oui, répondit-elle en posant une main sur le bras de Nandira. Je comprends.

La jeune fille se mit à jouer distraitement avec son bracelet.

— Est-ce que vous allez le lui dire ? s'enquit-elle.

— Est-ce que j'ai vraiment le choix ? fit Mma Ramotswe. Je me vois mal lui raconter que je vous ai vue avec un garçon nommé Jack alors qu'il n'existe pas de Jack.

Nandira poussa un soupir.

— Bon, c'est moi qui l'ai cherché ! murmura-t-elle. C'était un jeu idiot.

Elle s'arrêta un instant, pensive.

— Mais lorsqu'il comprendra que toute cette histoire n'est que du vent, reprit-elle, pensez-vous qu'il m'accordera un peu plus de liberté ? Pensez-vous qu'il pourra me laisser vivre sans que j'aie à lui dire où je passe chaque minute de mon existence ?

— Je peux essayer de l'en convaincre, répondit Mma Ramotswe. Je ne sais pas s'il m'écoutera, mais je peux essayer.

— Oh, faites-le, je vous en prie ! S'il vous plaît !

Elles regardèrent ensemble le film, qui leur plut à toutes les deux. Puis Mma Ramotswe raccompagna Nandira dans la petite fourgonnette blanche, dans un silence amical, et la déposa devant la haute grille. La jeune fille regarda la voiture s'éloigner, puis elle se retourna et sonna.

— Résidence Patel. Que voulez-vous ?

— La liberté, murmura-t-elle dans un souffle, avant d'articuler d'une voix plus forte : C'est moi, Papa. Je suis rentrée.

Le lendemain matin, Mma Ramotswe téléphona de bonne heure à Mr. Patel comme elle l'avait promis. Elle lui expliqua qu'elle préférait lui parler chez lui, de vive voix plutôt que par téléphone.

— Vous, vous avez de mauvaises nouvelles à m'annoncer ! s'exclama-t-il d'un ton contrarié. Vous allez me dire quelque chose de désagréable. Oh, mon Dieu ! De quoi s'agit-il ?

Mma Ramotswe le rassura du mieux qu'elle put, affirmant qu'il ne s'agissait pas d'une mauvaise nouvelle. Elle lui trouva cependant la mine inquiète lorsqu'elle pénétra dans le bureau, une demi-heure plus tard.

— Je me fais beaucoup de souci, déclara-t-il. Vous, vous ne pouvez pas comprendre les inquiétudes d'un père. Pour une mère, c'est différent. Le père, lui, éprouve un type d'inquiétude particulier.

Mma Ramotswe lui adressa un sourire bienveillant.

— Les nouvelles sont bonnes, affirma-t-elle. Il n'y a pas de petit ami.

— Et ce message, alors ? Ce fameux Jack ? C'est un personnage imaginaire, peut-être ?

— Oui, répondit Mma Ramotswe. Exactement.

Mr. Patel afficha sa perplexité. Il leva sa canne et en tapota plusieurs fois sa jambe artificielle. Puis il ouvrit la bouche pour parler, mais ne dit rien.

— Voyez-vous, reprit Mma Ramotswe, Nandira s'est inventé une vie sociale. Elle s'est inventé un petit ami pour insuffler un peu de... de liberté dans son existence. La meilleure chose à faire, pour vous, c'est de l'ignorer. Accordez-lui un peu plus de temps pour vivre sa vie. Évitez de lui réclamer sans arrêt des comptes sur son emploi du temps. Il n'y a pas de petit ami et il n'y en aura peut-être pas non plus à l'avenir.

Mr. Patel posa sa canne sur le sol, ferma les yeux et se plongea dans une profonde méditation.

— Pourquoi ferais-je cela ? demanda-t-il en se redressant enfin. Pourquoi devrais-je sacrifier à ces idées modernes ?

Mma Ramotswe avait préparé sa réponse.

— Parce que si vous ne le faites pas, le petit ami imaginaire pourrait devenir un garçon en chair et en os. Voilà pourquoi.

Mma Ramotswe observa son interlocuteur, qui se débattait avec ce conseil. Alors, sans prévenir, Mr. Patel se leva, vacilla quelques instants avant de trouver son équilibre, puis se tourna et fit face à Mma Ramotswe.

— Vous êtes une femme très intelligente, dit-il. Alors je vais suivre votre conseil. Je vais la laisser tranquille et, comme cela, je suis sûr que dans deux ou trois ans elle sera d'accord avec nous et me laissera lui arran... l'aider à trouver un mari qui lui convienne.

— C'est fort possible, répondit Mma Ramotswe en poussant un soupir de soulagement.

— Oui, fit chaleureusement Mr. Patel. Et ce sera vous qu'il me faudra remercier !

Mma Ramotswe pensait souvent à Nandira lorsqu'elle passait devant la résidence Patel et ses hauts murs blancs. Elle eût aimé la croiser de temps en temps, maintenant qu'elle savait quel genre de fille elle était, mais cela ne se produisit jamais. Ce ne fut qu'un an plus tard, alors qu'elle prenait son café du samedi matin sous la véranda de l'hôtel *Président*, qu'elle sentit quelqu'un lui taper l'épaule. Elle se retourna et découvrit Nandira, accompagnée d'un jeune homme. Ce dernier devait avoir dix-huit ans, pensa-t-elle. Il avait un visage agréable et ouvert.

— Mma Ramotswe ! lança Nandira d'un ton cordial. J'étais sûre que c'était vous.

Mma Ramotswe lui serra la main. Le jeune homme lui souriait.

— Je vous présente mon ami, reprit Nandira. Je ne crois pas que vous vous connaissiez.

Le jeune homme fit un pas en avant et tendit la main.

— Jack, dit-il.

CHAPITRE X

*En route vers Francistown, dans sa petite
fourgonnette blanche,
Mma Ramotswe médite sur son pays*

Le jour n'était pas encore levé et Mma Ramotswe
roulait au volant de sa petite fourgonnette blanche dans
les rues endormies de Gaborone. Elle passa devant les
Brasseries du Kalahari et le Centre de recherches des
pays secs, puis s'engagea sur la nationale qui montait
vers le nord. Au bord de la route, un homme surgit des
fourrés et lui fit signe de ralentir, mais elle ne voulut
pas s'arrêter dans l'obscurité. On ne savait jamais
quelle sorte d'individu pouvait faire du stop à une
heure pareille. L'homme s'évanouit dans l'ombre, et,
dans le rétroviseur, elle vit son corps se tasser en une
attitude dépitée.

Juste après le carrefour de Mochudi, le soleil apparut, s'élevant au-dessus des vastes plaines qui s'étirent
jusqu'au Limpopo. Tout à coup, il était là, souriant à
l'Afrique, ballon rouge étincelant, glissant peu à peu
vers les hauteurs, se détachant sans effort pour prendre
sa liberté sur l'horizon et dissiper les dernières volutes
de brume matinale.

A présent, les robiniers se distinguaient nettement
dans la lumière vive du matin et l'on apercevait des
oiseaux sur leurs branches ou en vol, moqueurs
d'Afrique, loris, et d'autres encore dont elle ignorait le
nom. Çà et là, des vaches apparaissaient derrière les

clôtures qui bordaient la route sur des kilomètres. Elles levaient la tête et observaient, ou déambulaient d'un pas tranquille, tirant parfois des touffes d'herbe sèche qui, tenaces, s'accrochaient à la terre durcie.

C'était un paysage sec. Tout près, à l'ouest, débutait le Kalahari, arrière-pays ocre qui s'étalait sur un nombre inimaginable de kilomètres jusqu'au désert chantant du Namib. Si elle tournait à droite pour engager la petite fourgonnette blanche sur l'un des sentiers qui croisaient la nationale, elle roulerait cinquante ou soixante kilomètres peut-être avant de sentir ses roues s'enfoncer dans le sable, puis patiner désespérément. La végétation se raréfierait lentement jusqu'à devenir quasi inexistante. Les robiniers disparaîtraient et l'on remarquerait des rides de terre desséchée à travers lesquelles le sable omniprésent ferait surface et se crénellerait. Il y aurait des parcelles nues et des roches grises disséminées sans aucun signe d'activité humaine. Vivre avec ce vaste intérieur sec, brun et dur était le lot des Batswana ; c'était cela qui les rendait prudents et méticuleux dans leur agriculture.

Si on allait là-bas, dans le Kalahari, on pouvait entendre des lions rugir la nuit. Car il restait encore, dans ces immensités, des lions qui signalaient leur présence par des grondements ou des grognements puissants. Elle s'y était rendue une fois avec une amie lorsqu'elle était jeune fille pour visiter un poste de bétail isolé. C'était, dans le Kalahari, le point le plus avancé où l'on pût installer des bêtes et elle avait éprouvé la solitude intense de ce lieu vide de tout habitant. C'était le Botswana distillé, l'essence du pays.

On était alors à la saison des pluies et la terre était couverte de verdure. La pluie, ici, pouvait transformer le paysage en un rien de temps et c'était ce qui s'était produit. Le sol abondait en pousses d'herbe fraîche, en marguerites du Namaqualand, en sarments de *tsama*[1] et en aloès aux longues fleurs rouges et jaunes.

Le soir, elles avaient fait un feu juste devant les huttes grossières qui servaient d'abri au poste de bétail, mais la lumière des flammes lui avait paru minuscule sous le grand ciel vide nocturne semé de constellations. Elle s'était blottie contre son amie, qui lui avait dit de ne pas s'inquiéter, car les lions n'approchaient jamais du feu, de même que les êtres surnaturels, les *thokolosis* et autres génies de la nuit.

Elle s'était réveillée aux petites heures du jour. Le feu avait faibli. Elle en distinguait les braises par les interstices des branchages qui formaient les parois de la case. Quelque part, dans le lointain, un grognement s'éleva, mais elle ne s'en effraya pas et sortit pour se tenir au-dessous du ciel et emplir ses poumons de l'air sec et clair. Alors elle pensa : Je ne suis qu'une minuscule personne en Afrique, mais il y a une place pour moi, et pour chacun de nous, ce qui nous permet à tous de nous asseoir sur cette terre et de la toucher et de l'appeler nôtre. Elle attendit qu'une autre pensée la traversât, mais aucune ne vint. Alors elle retourna dans la case et se glissa dans la chaleur des couvertures, sur son tapis de sol.

A présent, tandis qu'elle enchaînait les kilomètres au volant de sa petite fourgonnette blanche, elle songeait qu'un jour, peut-être, elle retournerait dans le Kalahari pour revoir ces grands espaces, ces vastes plaines qui font battre le cœur.

---

1. Melon amer du désert. (*N.d.T.*)

CHAPITRE XI

Grosse cylindrée et culpabilité

Cela faisait trois jours que l'affaire Patel avait été résolue de façon satisfaisante. Mma Ramotswe avait envoyé sa note d'honoraires de deux mille pula, plus les frais, et reçu un chèque par retour du courrier. Cela l'avait étonnée. Elle avait peine à croire qu'une telle somme lui fût versée sans la moindre protestation, et la célérité ainsi que la bonne humeur évidente avec lesquelles Mr. Patel avait réglé lui faisaient traverser des affres de culpabilité proportionnelles au montant du chèque.

Il était curieux de constater, songeait-elle, comme certaines personnes possédaient un sens développé de la culpabilité, alors que d'autres en étaient dénuées. Il existait des individus qui se reprochaient avec désespoir des erreurs ou des manquements mineurs, et d'autres qui ne se souciaient pas le moins du monde de leurs actes de trahison ou de malhonnêteté. Mma Pekwane entrait dans la première catégorie, se dit Mma Ramotswe. Note Mokoti appartenait à la seconde.

Mma Pekwane paraissait très inquiète lorsqu'elle se présenta dans le bureau de l'Agence N° 1 des Dames Détectives. Mma Ramotswe lui servit du thé rouge très fort, comme elle le faisait pour tous les clients nerveux, et attendit que la visiteuse se décidât à parler.

C'est un homme qui rend cette femme soucieuse, pensa-t-elle. En effet, tous les signes le laissaient croire. De quoi pouvait-il bien s'agir ? Encore un exemple de mauvaise conduite masculine, bien sûr, mais lequel ?

— Je me fais du souci parce que mon mari a commis une chose affreuse, finit par déclarer Mma Pekwane. J'ai terriblement honte pour lui.

Mma Ramotswe hocha la tête avec bienveillance. Mauvaise conduite masculine.

— Les hommes agissent souvent mal, répondit-elle. Toutes les femmes se font du souci à cause de leur mari. Vous n'êtes pas la seule.

Mma Pekwane soupira.

— Mais le mien a fait quelque chose de très mal, insista-t-elle. Quelque chose de très, très mal.

Mma Ramotswe tressaillit. Si Rra Pekwane avait assassiné quelqu'un, elle ne laisserait pas planer le moindre doute sur l'attitude à adopter : la police devait être prévenue. Il n'était pas question que Mma Ramotswe aide quiconque à dissimuler un meurtrier.

— Qu'est-ce qu'il a fait de mal ? s'enquit-elle.

Mma Pekwane baissa la voix.

— Il a une voiture volée.

Mma Ramotswe se sentit soulagée. Le vol de voiture était un délit courant, presque banal, et il y avait sans doute en ville des femmes qui roulaient à bord de la voiture volée de leur mari. Mma Ramotswe ne s'imaginait pas faire une chose pareille, bien sûr, et, semblait-il, Mma Pekwane non plus.

— Est-ce lui qui vous a dit qu'elle était volée ? s'enquit-elle. Êtes-vous sûre que c'est le cas ?

Mma Pekwane secoua la tête.

— Il m'a dit qu'un homme la lui avait donnée. Il m'a raconté que cet homme possédait deux Mercedes-Benz alors qu'il n'avait besoin que d'une.

Mma Ramotswe se mit à rire.

— Les hommes croient-ils vraiment qu'ils peuvent nous faire avaler des couleuvres aussi facilement? s'exclama-t-elle. Ils nous prennent pour des imbéciles ou quoi?

— J'ai l'impression que oui, répondit Mma Pekwane.

Mma Ramotswe saisit un crayon et traça distraitement quelques traits sur son sous-main. En regardant ses griffonnages, elle s'aperçut qu'elle avait esquissé une voiture.

Elle releva les yeux vers Mma Pekwane.

— Et vous souhaitez que je vous dise quoi faire? interrogea-t-elle. C'est ça?

Mma Pekwane demeura un instant pensive.

— Non, répondit-elle enfin. Ce n'est pas ça. J'ai déjà décidé ce que je veux faire.

— Ah? Et de quoi s'agit-il?

— Je veux rendre la voiture. La rendre à son propriétaire.

Mma Ramotswe se redressa.

— Alors vous voulez avertir la police? Vous voulez lui révéler ce qu'a fait votre mari?

— Non, surtout pas. Je veux juste que la voiture retourne à son propriétaire sans que la police soit au courant. Je veux que le bon Dieu sache que la voiture est revenue à qui de droit.

Mma Ramotswe dévisagea sa cliente. C'était, il fallait en convenir, un souhait parfaitement raisonnable. Si la voiture était restituée à son propriétaire, Mma Pekwane pourrait avoir la conscience tranquille tout en conservant son mari. Après mûre réflexion, Mma Ramotswe trouvait que c'était là une bonne manière de remédier à une situation difficile.

— Mais pourquoi venir me parler de ce problème? demanda-t-elle. Comment puis-je vous aider?

Mma Pekwane lui répondit cette fois sans la moindre hésitation.

— Je veux que vous me disiez à qui appartient cette voiture, expliqua-t-elle. Ensuite, je veux que vous veniez la voler à mon mari pour la rapporter à son propriétaire. C'est tout.

Ce soir-là, tandis qu'elle rentrait chez elle au volant de sa petite fourgonnette blanche, Mma Ramotswe songeait qu'elle n'aurait jamais dû accepter d'aider Mma Pekwane. Seulement elle avait dit oui et, à présent, il fallait tenir parole. L'affaire n'allait pas être simple. A moins, bien sûr, de contacter la police, ce qu'elle se refusait à faire. Car si Rra Pekwane méritait certes d'être dénoncé, la cliente avait demandé de ne pas le faire et la loyauté de Mma Ramotswe allait d'abord à cette dernière. Il fallait donc trouver un autre moyen d'agir.

Après avoir dîné de poulet au potiron, Mma Ramotswe téléphona à Mr. J.L.B. Matekoni.

— D'où viennent les Mercedes-Benz volées? lui demanda-t-elle.

— De derrière la frontière, répondit Mr. J.L.B. Matekoni. On les vole en Afrique du Sud, on les amène ici, on les maquille, on lime le numéro d'origine du moteur, puis on les vend à bas prix ou on les envoie en Zambie. Je connais ceux qui font ça, d'ailleurs. Tout le monde les connaît.

— Ce n'est pas cela qui m'intéresse, expliqua Mma Ramotswe. Ce que je veux savoir, c'est comment identifier une voiture une fois que tout cela a été fait.

Mr. J.L.B. Matekoni prit un temps de réflexion.

— Il faut savoir où regarder, dit-il. Il existe généralement un autre numéro de série quelque part. Sur le châssis, ou sous le capot. On finit par le trouver si on connaît son affaire.

— Toi, tu connais ton affaire, affirma Mma Ramotswe. Peux-tu m'aider ?

Mr. J.L.B. Matekoni soupira. Il n'aimait pas les voitures volées. Il préférait ne pas être mêlé à ces histoires, mais c'était Mma Ramotswe qui le demandait et il n'y avait donc qu'une seule réponse possible.

— Dis-moi où et quand, murmura-t-il.

Ils pénétrèrent dans le jardin des Pekwane le lendemain soir, après s'être mis d'accord avec Mma Pekwane : celle-ci avait promis qu'à l'heure convenue elle s'assurerait que les chiens étaient à l'intérieur et son mari occupé à manger un excellent repas qu'elle préparerait pour lui. Rien ne pouvait donc empêcher Mr. J.L.B. Matekoni de ramper sous la Mercedes-Benz garée dans la cour et d'allumer sa torche pour éclairer le châssis. Mma Ramotswe lui proposa de se glisser elle aussi sous la voiture, mais Mr. J.L.B. Matekoni doutait qu'elle y parvînt et il déclina l'offre. Dix minutes plus tard, il avait noté le numéro de série sur une feuille de papier et tous deux se faufilaient hors de la cour des Pekwane pour regagner la petite fourgonnette blanche stationnée un peu plus bas sur la route.

— Tu es sûr que je n'ai besoin que de ça ? interrogea Mma Ramotswe. Ils sauront rien qu'avec ce numéro ?

— Oui, répondit Mr. J.L.B. Matekoni. Ils sauront.

Elle le déposa devant chez lui et il lui fit un signe d'au revoir dans l'obscurité. Elle trouverait un moyen de le remercier très bientôt, elle n'en doutait pas.

Le week-end suivant, Mma Ramotswe prit sa petite fourgonnette blanche pour passer la frontière et gagner Mafikeng. Une fois à destination, elle se rendit tout droit au *Railway Café*, acheta un exemplaire du *Johan-*

nesburg Star et s'installa près de la fenêtre pour lire les nouvelles. Celles-ci étaient toutes mauvaises, décida-t-elle, aussi repoussa-t-elle le journal vers un coin de la table et consacra-t-elle plutôt son temps à observer les autres clients.

— Mma Ramotswe !

Elle leva la tête. Il était là, le Billy Pilani qu'elle avait connu, en plus vieux, bien sûr, mais toujours le même. Elle le revoyait encore à l'école communale de Mochudi, assis à son pupitre, les yeux dans le vague.

Elle lui commanda un café et un gros beignet et lui expliqua ce qu'elle attendait de lui.

— Je veux que tu me dises à qui appartient ce véhicule, déclara-t-elle en lui tendant la feuille de papier sur laquelle Mr. J.L.B. Matekoni avait griffonné les chiffres. Ensuite, lorsque tu l'auras découvert, je veux que tu dises à son propriétaire, ou à la compagnie d'assurances, ou à qui que ce soit, qu'ils peuvent venir chercher la voiture à Gaborone. Elle les attendra dans un endroit dont nous conviendrons ensemble. Tout ce qu'ils auront à faire, c'est apporter des plaques d'immatriculation portant le numéro d'origine. Ensuite, ils pourront la ramener chez eux.

Billy Pilani parut surpris.

— Et tout ça pour rien ? s'enquit-il. Ils n'auront rien à payer ?

— Rien du tout, répondit Mma Ramotswe. Il s'agit seulement de restituer l'objet à son propriétaire. C'est tout. Tu crois en la justice, n'est-ce pas, Billy ?

— Bien sûr, répondit aussitôt Billy. Bien sûr.

— Et écoute-moi bien, Billy : je veux que tu oublies que tu es policier quand tu feras tout ça. Il n'y aura pas la moindre arrestation à la clé pour toi.

— Même pas une toute petite ? hasarda Billy d'un air déçu.

— Même pas.

Billy Pilani téléphona le lendemain.

— J'ai trouvé les renseignements sur notre liste de véhicules volés, dit-il. J'ai parlé avec la compagnie d'assurances, qui avait déjà remboursé le propriétaire. Elle est très contente de récupérer la voiture. Elle enverra un de ses employés à Gaborone.

Parfait, fit Mma Ramotswe. Qu'il se rende à l'African Mall à sept heures mardi matin, avec les plaques d'immatriculation.

On s'accorda sur tous les détails, et le mardi, à cinq heures du matin, Mma Ramotswe se faufilait dans la cour des Pekwane et trouvait comme elle s'y attendait les clés de la Mercedes-Benz devant la fenêtre de la chambre à coucher, là où Mma Pekwane les avait lancées la veille au soir. Celle-ci avait assuré que son mari dormait comme une souche et qu'il ne s'éveillait jamais avant que Radio Botswana diffuse le tintement des cloches des vaches, à six heures chaque matin.

Il n'entendit donc pas la voiture démarrer et quitter la cour. Et il était déjà près de huit heures lorsqu'il constata le vol de sa Mercedes-Benz.

— Appelle la police ! s'écria Mma Pekwane. Dépêche-toi, appelle la police !

Elle le vit hésiter.

— Peut-être plus tard, dit-il. Je préfère la chercher d'abord moi-même.

Elle le regarda droit dans les yeux et, l'espace d'un instant, elle le sentit fléchir. Il est coupable, pensa-t-elle. J'ai eu raison du début à la fin. Évidemment, il ne peut pas aller déclarer à la police le vol d'une voiture volée.

Plus tard dans la journée, elle rendit visite à Mma Ramotswe pour la remercier.

— Grâce à vous, je vais beaucoup mieux, affirma-t-elle. Maintenant, je pourrai dormir la nuit sans me sentir coupable pour mon mari.

— J'en suis très heureuse, dit Mma Ramotswe. Et peut-être que cela lui a donné une leçon. Une leçon très intéressante.

— Quoi donc ? demanda Mma Pekwane.

— Que la foudre frappe toujours deux fois au même endroit, répondit Mma Ramotswe. Quoi qu'en disent les gens.

CHAPITRE XII

La maison de Mma Ramotswe, sur Zebra Drive

La maison datait de 1968, époque à laquelle la ville s'étendait peu à peu au-delà du centre commercial et des bâtiments administratifs. Elle occupait un angle, ce qui n'était pas toujours une bonne chose, car les passants avaient coutume de s'installer à l'ombre des robiniers qui poussaient là pour attendre et ils crachaient dans le jardin ou envoyaient des ordures par-dessus la clôture. Au début, lorsqu'elle les voyait faire, Mma Ramotswe criait de sa fenêtre ou leur lançait un couvercle de poubelle, mais ces gens-là ne semblaient pas éprouver la moindre gêne et ils se mettaient à rire. Elle renonça donc ; le jeune homme qui venait s'occuper du jardin tous les trois jours se contentait désormais de ramasser les détritus. C'était le seul problème de cette maison. Pour le reste, Mma Ramotswe en était résolument fière et elle songeait chaque jour qu'elle avait eu de la chance d'avoir pu l'acheter au moment où elle l'avait fait, juste avant que les prix atteignent de tels sommets qu'il devint impossible aux honnêtes gens de se payer une maison.

La cour était grande, plus de mille cinq cents mètres carrés, et bien pourvue en arbres et en arbustes. Les arbres n'avaient rien de particulier (c'étaient des robiniers pour la plupart), mais ils donnaient de l'ombre et ne mouraient jamais, même les années de sécheresse. Et puis, il y avait aussi les bougainvillées mauves, plantées d'une main enthousiaste par les précédents propriétaires, et qui avaient presque tout envahi lorsque Mma Ramotswe avait pris possession des lieux. Elle avait dû les tailler pour laisser de la place à ses potirons et à ses papayes.

A l'avant, la maison possédait une véranda qui était l'endroit préféré de Mma Ramotswe. C'était là qu'elle aimait s'asseoir le matin au lever du soleil, ou le soir, avant l'arrivée des moustiques. Elle l'avait agrandie en plaçant un auvent de toile légère supporté par des mâts grossièrement taillés. Cet auvent filtrait les rayons du soleil et permettait aux plantes de pousser dans la lumière verte qu'il créait. Elle y avait planté des bégonias et des fougères, qu'elle arrosait chaque jour et qui formaient un luxuriant carré de végétation constrastant avec la terre brune.

Derrière la véranda se trouvait le salon, la plus vaste pièce de la maison. Sa large fenêtre donnait sur ce qui avait été une pelouse. Il comportait une cheminée, trop grande pour la pièce, mais source de fierté pour Mma Ramotswe. Au-dessus, elle avait disposé ses porcelaines préférées : il y avait la tasse à thé décorée de la reine Élisabeth et l'assiette de la commémoration, ornée du portrait de Sir Seretse Khama, président, *kgosi*[1] du peuple ngwato, homme d'État. Il lui souriait de l'assiette, et c'était comme s'il lui envoyait sa bénédiction, comme s'il savait. Tout comme la reine, qui aimait elle aussi le Botswana et le comprenait.

Mais en place d'honneur, c'était la photographie de son père qui trônait, prise juste avant son soixantième anniversaire. Il portait le costume acheté à Bulawayo la fois où il était allé là-bas rendre visite à sa cousine et

---

1. Chef. *(N.d.T.)*

145

il souriait, bien qu'elle sût qu'à cette époque-là il souffrait déjà. Mma Ramotswe était une femme réaliste qui vivait dans le présent, mais elle se permettait néanmoins une pensée nostalgique parfois, une complaisance : elle se représentait son père à la porte d'entrée, qui lui souriait et la saluait en disant : « Ma petite Precious ! Comme tu as bien réussi ! Je suis fier de toi. » Et elle s'imaginait l'emmenant dans la petite fourgonnette blanche pour lui montrer les progrès réalisés dans la ville. Alors elle souriait à l'idée de la fierté qu'il aurait éprouvée. Toutefois, elle ne pouvait s'autoriser trop souvent ces pensées, car elles se terminaient en pleurs pour tout le passé et tout l'amour que renfermait son cœur.

La cuisine était chaleureuse. Le sol de ciment, étanche et peint en rouge brillant, était entretenu avec soin par Rose, la femme de ménage de Mma Ramotswe qui travaillait à son service depuis cinq ans. Rose avait quatre enfants, tous nés de pères différents, qui vivaient chez sa mère à Tlokweng. Outre son emploi chez Mma Ramotswe, elle tricotait pour une coopérative de vêtements et élevait ses enfants avec le peu d'argent qu'elle gagnait. Son aîné, devenu menuisier, l'aidait, mais les petits avaient toujours besoin de chaussures ou de pantalons neufs, et l'un d'eux éprouvait des difficultés à respirer, de sorte qu'il lui fallait un inhalateur. Pourtant Rose continuait à chanter, et c'était ainsi que, le matin, Mma Ramotswe savait qu'elle était arrivée, grâce aux bribes de chanson qui lui parvenaient de la cuisine.

CHAPITRE XIII

Et si on se mariait ?

Le bonheur ? Mma Ramotswe se trouvait assez heureuse. Avec son agence de détectives et sa maison de Zebra Drive, elle possédait plus que la plupart des gens et en avait conscience. Elle savait aussi que bien des choses avaient changé. A l'époque de son mariage avec Note Mokoti, elle éprouvait une tristesse profonde et écrasante qui la suivait partout comme un chien noir. Cette tristesse avait désormais disparu.

Si elle avait écouté son père, écouté le mari de la cousine, elle n'aurait jamais épousé Note et les années de peine ne seraient jamais survenues. Mais elle les avait subies, parce qu'elle avait la tête dure, comme on l'a tous à vingt ans. A cet âge, on ne voit rien, même si on est persuadé du contraire. Le monde est plein de jeunes de vingt ans, pensait-elle, tous aveugles.

Obed Ramotswe n'avait jamais éprouvé la moindre sympathie pour Note et il l'avait fait savoir à sa fille, sans détour. Elle lui avait répondu par des larmes, affirmant qu'il était le seul homme qu'elle pourrait trouver et qu'il la rendrait heureuse.

— Ce n'est pas vrai, avait répondu Obed. Cet homme va te battre. Il va se servir de toi de toutes sortes de façons. Il ne pense qu'à lui et à son plaisir. Je sais de quoi je parle, parce que j'ai travaillé dans les mines et, là-bas, j'ai rencontré toutes sortes de gens. Je connais ce genre d'hommes.

Elle avait secoué la tête et s'était précipitée dans sa chambre. Il l'avait rappelée, un cri faible, douloureux. Un cri qui résonnait encore à ses oreilles aujourd'hui et qui lui fendait le cœur, encore et encore. Elle avait fait souffrir celui qui l'aimait plus que tout autre, un homme bon et confiant qui ne cherchait qu'à la protéger.

Si seulement on pouvait effacer le passé, revenir en arrière et éviter les erreurs, faire des choix différents...

— Si on pouvait revenir en arrière ! s'exclama Mr. J.L.B. Matekoni en versant du thé dans la tasse de Mma Ramotswe. J'ai souvent réfléchi à ça. Si on pouvait revenir en arrière, en sachant tout ce que le temps nous a appris...

Il secoua la tête.

— Bonté divine ! Mais je mènerais une vie tout à fait différente !

Mma Ramotswe but une gorgée de thé. Elle se trouvait dans le bureau de Tlokweng Road Speedy Motors, sous le calendrier du fournisseur de pièces détachées, où elle passait un peu de temps avec Mr. J.L.B. Matekoni, comme elle le faisait souvent lorsque l'agence était calme. C'était inévitable : il y avait des périodes où les gens n'avaient pas envie d'élucider les mystères. Personne ne disparaissait, nul ne cherchait à tromper sa femme, nul n'escroquait quiconque. Dans de telles périodes, un détective privé pouvait aussi bien suspendre une pancarte « Fermé » à la porte de son agence et partir cultiver des melons. Non que Mma Ramotswe eût l'intention de cultiver des melons. Prendre tranquillement le thé, puis aller flâner à l'African Mall représentait une façon comme une autre de passer le temps. Ensuite, elle se rendrait à la Grande Librairie pour voir s'il y avait eu un arrivage de magazines intéressants.

148

Elle adorait les magazines. Elle aimait leur odeur et leurs photographies sur papier glacé. Elle aimait les revues de décoration intérieure, qui montraient comment on vivait dans les pays lointains. Là-bas, les gens avaient tant de choses dans leur maison, tant d'objets magnifiques ! Des tableaux, de riches tentures, des piles de coussins de velours sur lesquels ce devait être merveilleux de s'asseoir, surtout pour les grosses personnes, et des lumières étranges pour éclairer chaque recoin...

Mr. J.L.B. Matekoni poursuivait son idée, s'enflammant à mesure qu'il parlait.

— J'ai commis des centaines d'erreurs dans ma vie, affirmait-il, les sourcils froncés dans un effort de mémoire. Des centaines et des centaines d'erreurs.

Elle le regarda. Elle avait toujours estimé qu'il s'en était plutôt bien sorti dans la vie. Il avait effectué son apprentissage comme mécanicien, économisé de l'argent et fini par acquérir son propre garage. Il s'était construit une maison et était même devenu président de la section locale du Parti Démocrate du Botswana. Il connaissait plusieurs ministres (très vaguement) et était invité chaque année à l'une des garden-parties du siège de la législature. Pour lui, tout semblait aller pour le mieux.

— Je ne vois pas quelles erreurs tu as commises, dit-elle. Contrairement à moi.

Mr. J.L.B. Matekoni parut surpris.

— Toi, je ne t'imagine pas faire la moindre erreur, protesta-t-il. Tu es trop intelligente pour cela. Il te suffit d'étudier toutes les possibilités pour choisir la bonne. Chaque fois.

Mma Ramotswe eut un petit rire.

— J'ai épousé Note, rappela-t-elle.

Mr. J.L.B. Matekoni la considéra, pensif.

— C'est vrai, répondit-il. Ça, c'était une grave erreur.

Ils gardèrent un long moment le silence. Puis il se leva. Il était très grand et devait prendre garde à ne pas se cogner la tête lorsqu'il se tenait debout. Alors, devant le calendrier et juste au-dessous du papier tue-mouches qui se balançait au plafond, il s'éclaircit la gorge et reprit la parole :

— J'aimerais que tu te maries avec moi, déclara-t-il. Ça, ce ne serait pas une erreur.

Mma Ramotswe dissimula sa surprise. Elle ne tressaillit pas, ne lâcha pas sa tasse de thé, ne demeura pas bouche bée. Elle sourit et leva les yeux vers son ami.

— Tu es un homme bon et généreux, répondit-elle. Tu ressembles à mon père... enfin, un peu. Mais je ne peux pas me remarier. Jamais. Je suis heureuse comme ça. J'ai l'agence, j'ai ma maison. Ma vie est bien remplie.

Mr. J.L.B. Matekoni se rassit. Il avait l'air penaud et Mma Ramotswe tendit la main vers lui. Il se dégagea instinctivement, comme un grand brûlé recule devant le feu.

— Je suis vraiment désolée, reprit-elle. Je voudrais que tu saches que si je devais me remarier, ce qui n'arrivera pas, je choisirais un homme comme toi. C'est même toi que je choisirais. Ça, j'en suis sûre.

Mr. J.L.B. Matekoni lui prit sa tasse et la remplit. Il restait silencieux à présent, non par colère ou par ressentiment, mais parce que sa déclaration lui avait coûté toute son énergie et qu'il ne trouvait plus de mots pour le moment.

CHAPITRE XIV

Beau gosse

En venant consulter Mma Ramotswe, Alice Busang se sentait nerveuse, mais la silhouette imposante et généreuse assise derrière le bureau la mit vite à l'aise. C'était un peu comme parler à un docteur ou à un prêtre, pensa-t-elle. Dans ce genre de consultations, rien de ce que l'on peut dire ne risque de choquer.

— J'ai des doutes sur mon mari, commença-t-elle. Je crois qu'il a des maîtresses.

Mma Ramotswe hocha la tête. D'après son expérience, tous les hommes avaient des maîtresses. Seuls les ministres du culte et les directeurs d'école dérogeaient à cette règle.

— L'avez-vous déjà pris sur le fait? s'enquit-elle.

Alice Busang secoua la tête.

— Je n'arrête pas de le surveiller, mais je ne l'ai jamais surpris avec d'autres femmes. Il est trop malin, je crois.

Mma Ramotswe nota ces éléments sur une feuille de papier.

— Il fréquente les bars, n'est-ce pas?

— Oui.

— C'est là qu'ils les rencontrent. Il existe des femmes qui traînent dans les bars pour rencontrer des hommes mariés. La ville en est pleine.

Elle regarda Alice, et un bref courant de compréhension mutuelle passa entre elles. Toutes les femmes du Botswana souffraient de l'inconséquence des hommes. De nos jours, il n'existait pratiquement aucun individu de sexe masculin prêt à se marier et à rester à la maison pour s'occuper des enfants. Les hommes de cette sorte appartenaient sans doute au passé.

— Souhaitez-vous que je le suive ? interrogea-t-elle. Voulez-vous que je découvre où il rencontre des femmes ?

Alice Busang acquiesça.

— Oui, dit-elle. J'aimerais avoir une preuve. Juste pour moi. J'ai besoin d'une preuve, de manière à savoir quel homme j'ai épousé.

Les activités de Mma Ramotswe l'empêchèrent de démarrer son enquête avant la semaine suivante. Le mercredi, elle gara sa petite fourgonnette blanche devant les bureaux du Centre de tri des diamants, où travaillait Kremlin Busang. Alice Busang lui avait fourni une photographie de son mari, qu'elle posa sur ses genoux et examina. C'était un bel homme, doté de larges épaules et d'un sourire engageant. Il avait un physique de séducteur et elle se demanda pourquoi Alice Busang l'avait choisi si elle voulait un mari fidèle. L'optimisme, bien sûr. L'espoir naïf qu'il ne serait pas comme les autres. En fait, il suffisait de le regarder pour comprendre qu'elle avait eu tort.

Elle le suivit. La petite fourgonnette blanche prit en chasse une vieille automobile bleue dans les embouteillages du soir jusqu'au bar du *Go Go Handsome Man*, près de la gare routière. Tandis qu'il pénétrait dans l'établissement, elle demeura dans sa fourgonnette afin d'ajouter un peu de rouge sur ses lèvres et de crème sur ses joues. Dans quelques minutes, elle ferait son entrée dans le bar et se mettrait sérieusement au travail.

Il n'y avait pas foule dans le bar du *Go Go Hand-some Man* et elle n'y trouva que deux ou trois autres femmes, qu'elle identifia tout de suite comme des créatures de mauvaise vie. Elles la dévisagèrent, mais elle choisit de les ignorer et s'installa au comptoir, à deux tabourets de Kremlin Busang.

Elle commanda une bière et regarda autour d'elle, comme pour évaluer les lieux.

— C'est la première fois que vous venez ici, ma sœur? lança Kremlin Busang. C'est un endroit très sympathique, vous verrez.

Elle rencontra son regard.

— Je ne viens dans les bars que pour les grandes occasions, affirma-t-elle. Comme aujourd'hui.

Kremlin Busang sourit.

— C'est votre anniversaire?

— Oui, répondit-elle. Je vous offre une bière pour fêter ça?

Elle joignit le geste à la parole et il vint s'asseoir près d'elle. Elle constata que c'était bel et bien un homme séduisant, comme l'avait révélé la photographie, et qu'il soignait sa tenue vestimentaire. Ils burent leur bière ensemble et il s'en commanda une seconde. Puis il se mit à parler de son métier.

— Je trie des diamants, expliqua-t-il. C'est un travail difficile, vous savez. Ça exige une bonne vue.

— J'aime les diamants, dit-elle. J'adore les diamants.

— Nous avons beaucoup de chance d'en avoir dans ce pays, répondit-il. Ma parole! Quels diamants nous avons!

Elle déplaça légèrement sa jambe gauche de manière à venir toucher celle du jeune homme. Il le remarqua, puisqu'elle le vit baisser un court instant les yeux, mais ne s'écarta pas.

— Êtes-vous marié? interrogea-t-elle à mi-voix.

Il n'hésita pas un instant.

— Non. Je ne l'ai jamais été. C'est mieux de rester célibataire de nos jours. On est plus libre, vous comprenez.

Elle hocha la tête.

— Moi aussi, je tiens à ma liberté, acquiesça-t-elle. Quand on est seul, on peut faire ce que l'on veut de son temps.

— Exactement! s'exclama-t-il. C'est sacrément vrai, ça!

Elle vida son verre.

— Je dois y aller, dit-elle, avant d'ajouter, après une brève pause : Ça vous dirait de venir boire un verre à la maison? J'ai de la bière au frais.

Il sourit.

— Oui. C'est une bonne idée. Je n'avais rien de prévu, de toute façon.

Il la suivit jusqu'à chez elle au volant de sa propre voiture et ils entrèrent ensemble dans la maison. Là, elle mit de la musique et lui servit une bière, dont il but la moitié d'un trait. Puis il lui passa un bras autour de la taille et lui dit qu'il aimait les bonnes grosses femmes bien en chair. Cette obsession au sujet de la ligne et des régimes était absurde et ne convenait pas du tout à l'Afrique.

— Des formes généreuses comme les tiennes, voilà ce qu'on aime, nous, les hommes!

Elle gloussa. Il se montrait charmant, il fallait l'admettre, mais elle était en mission et il fallait rester professionnelle. Elle ne devait pas perdre son objectif de vue : la preuve dont elle avait besoin n'était pas encore dans la poche.

— Viens, asseyons-nous, dit-elle. Tu dois être fatigué après une journée entière debout, à trier les diamants.

Elle tenait son excuse toute prête et il l'accepta sans

protester. Elle partait travailler de bonne heure le lendemain, il ne pouvait rester. Toutefois, il serait dommage qu'une aussi bonne soirée s'achève sans souvenir tangible.

— J'ai envie de prendre une photo de nous deux, juste pour avoir un souvenir. Comme ça, je pourrai la regarder et me rappeler cette soirée.

Il lui sourit et lui pinça gentiment la taille.

— Bonne idée !

Elle prépara son appareil photo et, après avoir actionné le déclenchement différé, vint rejoindre l'homme sur le canapé. Il la pinça de nouveau et passa un bras autour d'elle. Au moment où le flash jaillit, il l'embrassait fougueusement.

— Si tu veux, nous pourrons la publier dans le journal, dit-il. Mr. Beau Gosse et son amie, Miss Grassouillette.

Elle éclata de rire.

— Toi, Kremlin, tu sais vraiment y faire avec les femmes. Tu es un homme à femmes. Je l'ai deviné dès que je t'ai vu.

— Eh, il faut bien qu'il y ait quelqu'un pour prendre soin des dames ! répondit-il.

Alice Busang revint à l'agence le vendredi suivant. Mma Ramotswe l'attendait.

— Je crains fort de devoir vous confirmer que votre mari est bel et bien infidèle, déclara-t-elle. J'en ai la preuve.

Alice ferma les yeux. Elle s'y attendait, mais elle n'avait pas envie de l'entendre. Je vais le tuer, pensa-t-elle. Mais non, je l'aime encore. Je le déteste. Non, je l'aime.

Mma Ramotswe lui tendit la photographie.

— Cette preuve, la voici, ajouta-t-elle.

Alice Busang regarda la photo, médusée. Non, ce

n'était pas possible! Et pourtant si, c'était bien elle! C'était la détective!

— Vous... bredouilla-t-elle. Vous avez été avec mon mari?

— Disons plutôt que c'est lui qui a été avec moi, rectifia Mma Ramotswe. Vous vouliez une preuve, non? C'est la meilleure confirmation que vous puissiez espérer.

Alice Busang lâcha la photographie.

— Mais vous... vous avez été avec mon mari? Vous...

Mma Ramotswe fronça les sourcils.

— Vous m'avez demandé de le piéger, oui ou non? Les yeux d'Alice Busang s'étrécirent.

— Espèce de traînée! hurla-t-elle. Espèce de grosse garce! Vous m'avez pris mon Kremlin! Vous êtes une voleuse de maris! Crapule!

Mma Ramotswe dévisagea sa cliente, consternée. Voilà une affaire, songea-t-elle, pour laquelle je vais sans doute devoir renoncer à mes honoraires...

CHAPITRE XV

La découverte de Mr. J.L.B. Matekoni

Il fallut jeter Alice Busang hors de l'agence alors qu'elle vociférait toujours ses insultes à l'adresse de Mma Ramotswe.

— Espèce de grosse morue ! Vous vous prenez pour une détective ? Vous n'êtes rien d'autre qu'une mangeuse d'hommes, comme toutes ces filles de bar ! Ne vous laissez pas avoir, messieurs dames ! Cette femme n'est pas détective ! C'est l'Agence N° 1 des Voleuses de Maris, voilà ce que c'est !

Lorsqu'elles entendirent le flot d'injures décroître, puis disparaître, Mma Ramotswe et Mma Makutsi se regardèrent. Comment réagir, sinon par le rire ? Cette femme connaissait dès le départ les agissements de son mari, mais elle avait insisté pour en avoir confirmation. Et une fois la pièce à conviction en main, elle blâmait la messagère !

— Gardez l'agence, déclara Mma Ramotswe. Moi, je vais au garage. Il faut que je raconte ça à Mr. J.L.B. Matekoni.

Elle le trouva dans la cabine vitrée du bureau, penché sur une tête de Delco.

— Le sable s'incruste partout en ce moment, lui dit-il. Regarde-moi ça !

Il s'appliqua à extraire un fragment de silice du tube

métallique et le brandit triomphalement devant sa visiteuse.

— Cette petite chose de rien du tout a enrayé le moteur d'un énorme poids lourd et l'a obligé à s'arrêter, expliqua-t-il. Ce minuscule conglomérat de sable !

— Comme quoi il faut veiller au grain ! commenta Mma Ramotswe en souriant, tandis que lui revenait à l'esprit le visage de son institutrice qui, à l'école publique de Mochudi, usait et abusait de l'expression.

— ... Pour être sûr de ne pas trouver une pierre en son chemin, renchérit Mr. J.L.B. Matekoni.

Il reposa la tête de Delco sur la table et alla remplir la bouilloire. Il régnait une chaleur intense, mais une tasse de thé leur ferait du bien à tous les deux.

Elle lui parla d'Alice Busang et de la réaction qu'elle avait eue en découvrant la preuve des infidélités de Kremlin.

— Tu aurais dû voir le gars, enchaîna-t-elle. Un vrai tombeur ! Du produit dans les cheveux, des lunettes noires, des chaussures de luxe. A mon avis, il n'avait pas idée du ridicule de son personnage. Moi, je préfère de loin les hommes qui portent des chaussures ordinaires et des pantalons honnêtes !

Mr. J.L.B. Matekoni jeta un regard inquiet à ses pieds — il portait de vieux brodequins de daim miteux couverts de graisse —, puis à son pantalon. Était-il honnête ?

— En plus, je n'ai même pas pu réclamer mes honoraires, poursuivit Mma Ramotswe. Pas après ça.

Mr. J.L.B. Matekoni opina du chef. Il semblait préoccupé. Il n'avait pas repris la tête de Delco en main et regardait par la fenêtre.

— Tu as des soucis ?

Elle se demandait si le refus qu'elle avait opposé à la demande en mariage ne l'avait pas contrarié plus qu'elle ne se l'était imaginé. Il n'était pas du genre rancunier, mais peut-être lui en voulait-il malgré tout ? Elle n'avait pas envie de perdre son amitié. Mr. J.L.B. Matekoni était son meilleur ami en ville et, sans sa présence réconfortante, la vie semblerait nettement plus terne. Pourquoi l'amour — et le sexe — venaient-ils toujours compliquer l'existence ? Dans le quotidien de Mma Ramotswe, le sexe n'occupait plus aucune place et elle considérait cela comme un soulagement. Elle n'avait plus à s'interroger sur son physique ni sur ce que les gens pensaient d'elle. Comme ce devait être pénible d'être un homme et d'avoir à tout instant le sexe dans un coin de son cerveau ! Elle avait lu dans l'un de ses magazines qu'un homme normalement constitué pensait au sexe en moyenne soixante fois par jour ! Elle avait peine à le croire mais, visiblement, ce chiffre provenait d'études sérieuses. Tandis qu'il vaquait à ses occupations, l'homme moyen avait ces pensées à l'esprit. Il s'imaginait donnant coup de reins sur coup de reins, comme le faisaient les hommes, tout en accomplissant les tâches les plus diverses ! Les docteurs pensaient-ils à cela quand ils prenaient votre tension ? Les avocats y songeaient-ils, assis derrière leur bureau à élaborer des stratégies de défense ? Les pilotes avaient-ils ces idées en tête aux commandes de leur avion ? Cela dépassait l'entendement.

Et Mr. J.L.B. Matekoni, avec son expression bonhomme et son visage franc, réfléchissait-il à cela en manipulant les têtes de Delco ou en changeant les batteries ? Elle l'observa de plus près : comment savoir ? Le regard d'un homme qui pense au sexe devenait-il soudain lubrique, sa bouche s'ouvrait-elle pour laisser apparaître sa langue rose ou... Non. C'était impossible.

— A quoi penses-tu, Mr. J.L.B. Matekoni ?

La question lui avait échappé et elle la regretta aussitôt. C'était comme si elle le mettait en demeure d'avouer qu'il songeait au sexe.

Il se leva et alla fermer la porte. Personne ne pouvait les entendre, pourtant. Les deux mécaniciens se trouvaient à l'extrémité de l'atelier, où ils buvaient du thé en pensant au sexe...

— Si tu n'étais pas venue ici, je serais allé chez toi, déclara Mr. J.L.B. Matekoni. J'ai découvert quelque chose, vois-tu.

Elle se sentit soulagée. Ce n'était donc pas le souvenir de la demande en mariage qui le tourmentait. Elle attendit, les yeux fixés sur son visage.

— Il y a eu un accident, poursuivit Mr. J.L.B. Matekoni. Ce n'était pas très grave, personne n'a été blessé. Un peu secoué, mais plus de peur que de mal. Cela s'est passé à l'ancien carrefour. Un camion qui s'était engagé sur le rond-point a refusé la priorité. Il a heurté une voiture qui arrivait du Village. La voiture a atterri dans le fossé et elle a été bien amochée. Le camion, lui, n'a eu qu'un phare brisé et le radiateur endommagé. Rien d'autre.

— Et alors ?

Mr. J.L.B. Matekoni se rassit et examina ses mains.

— On m'a appelé pour tirer la voiture du fossé. J'ai pris la dépanneuse et nous l'avons hissée au treuil. Ensuite, nous l'avons remorquée jusqu'ici et garée au fond de l'atelier. Je te la montrerai tout à l'heure, si tu veux.

Il s'arrêta un long moment. L'histoire semblait assez simple, mais, visiblement, ce récit lui coûtait.

— Je l'ai inspectée. Il s'agissait surtout de tôle froissée et j'aurais très bien pu me contenter d'appeler le carrossier pour qu'il l'emporte à son atelier. Seulement, j'ai préféré vérifier une ou deux bricoles avant cela. Pour commencer, je voulais contrôler les circuits électriques. Ces nouvelles voitures de luxe en ont tant qu'il suffit d'un choc ici ou là pour que tout aille de travers. Si les fils sont endommagés, on ne pourra plus ouvrir les portières, par exemple. Ou alors, le système antivol bloquera tout le reste. C'est vraiment compliqué, et les deux gars qui sont là-bas, à boire leur thé sur leur temps de travail, n'en sont qu'à leurs débuts dans le métier.

« Enfin, bref, il fallait que je dégage le boîtier des fusibles, qui se trouve sous le tableau de bord... En faisant cela, j'ai ouvert la boîte à gants par inadvertance. J'ai jeté un coup d'œil à l'intérieur, je ne sais pas pourquoi, c'était malgré moi. Et j'ai vu quelque chose. Un petit sac.

La conclusion s'imposa soudain dans l'esprit de Mma Ramotswe : le garagiste avait mis la main sur des diamants illicites. Elle en était sûre.

— Des diamants ?

— Non, répondit Mr. J.L.B. Matekoni. Encore pire que ça.

Elle considéra le petit sac qu'il avait sorti du coffre-fort et posé sur la table. Fabriqué en peau de bête — c'était une bourse, en fait —, il ressemblait à ces sacs que les Basarwa décoraient avec des fragments de coquille d'œuf d'autruche et utilisaient pour conserver les herbes et les pâtes de roche destinées à leurs flèches.

— Je vais te l'ouvrir, dit-il. Je ne veux pas que tu le touches.

Elle le regarda délier les cordons qui fermaient la bourse. Il arborait une expression de dégoût, comme s'il manipulait un objet à l'odeur répugnante.

Effectivement, une odeur se dégagea, une odeur de moisi, très sèche, lorsqu'il entreprit d'extraire les trois petits objets du sac. A présent, elle comprenait. Il n'avait pas besoin d'en dire davantage. Elle comprenait pourquoi il avait paru si anxieux et si mal à l'aise tout à l'heure. Mr. J.L.B. Matekoni avait trouvé du *muti*. Il avait trouvé des remèdes.

Elle demeura silencieuse tandis qu'il disposait les trois objets sur la table. Que pouvait-on dire de ces pitoyables débris, de cet os, de ce morceau de peau, de la petite bouteille de bois, avec son bouchon et son effroyable contenu?

Réticent à manipuler les objets, Mr. J.L.B. Matekoni désigna l'os à l'aide d'un crayon.

— Regarde, dit-il simplement. C'est ça que j'ai trouvé.

Mma Ramotswe se leva de sa chaise et gagna la porte. Elle sentait son estomac se soulever, comme lorsqu'on se trouve présence d'une odeur nauséabonde, celle d'un âne mort dans le fossé, la suffocante puanteur de charogne.

La nausée s'estompa et Mma Ramotswe se retourna.

— Je vais emporter l'os pour vérifier, décida-t-elle. Peut-être que nous nous trompons. Cela peut très bien provenir d'un animal. D'un cormoran noir. D'un lièvre.

Mr. J.L.B. Matekoni secoua la tête.

— Non, murmura-t-il. Je sais d'avance ce qu'on va te dire.

— Tout de même, insista Mma Ramotswe. Mets-le dans une enveloppe. Je vais le prendre.

Mr. J.L.B. Matekoni ouvrit la bouche pour parler, mais se ravisa. Il s'apprêtait à la mettre en garde, à affirmer qu'il était dangereux de prendre ces choses-là à la légère, mais cela eût laissé supposer qu'il croyait en leur pouvoir, et ce n'était pas le cas. Du moins, cela ne devait pas l'être.

Elle glissa l'enveloppe dans sa poche et sourit.

— Il ne peut plus rien m'arriver maintenant, lança-t-elle. Je suis bien protégée!

Mr. J.L.B. Matekoni tenta de rire de la plaisanterie, mais sans succès. Parler ainsi, c'était jouer avec la providence, et il espérait qu'elle n'aurait pas à le regretter.

— Il y a une chose que j'aimerais savoir, reprit Mma Ramotswe au moment où elle quittait le bureau. Cette voiture... à qui appartient-elle ?

Mr. J.L.B. Matekoni tourna les yeux vers les deux mécaniciens. Ni l'un ni l'autre n'étaient à portée de voix, mais il baissa néanmoins le ton pour répondre.

— A Charlie Gotso, dit-il. *Le* Charlie Gotso. En personne.

Les yeux de Mma Ramotswe s'élargirent de surprise.

— Gotso ? répéta-t-elle, incrédule. Charlie Gotso ?

Mr. J.L.B. Matekoni acquiesça de la tête. Tout le monde connaissait Charlie Gotso, l'un des personnages les plus influents du pays. Il avait l'oreille de... en fait, il avait l'oreille de tous ceux qui comptaient. Aucune porte ne lui était fermée, nul ne se serait risqué à lui refuser une faveur. Si Charlie Gotso vous demandait un service, vous vous exécutiez. Refuser, c'était s'exposer à voir la vie devenir de plus en plus difficile. Cela se passait toujours de manière subtile : la réponse à votre demande de licence professionnelle tardait à arriver, d'innombrables contrôles de vitesse jalonnaient votre trajet jusqu'au travail, vos employés se rebellaient et finissaient par partir travailler chez des concurrents. Il n'était jamais possible de mettre le doigt sur quelque chose de concret — ce n'était pas ainsi que les choses se passaient au Botswana —, mais les conséquences se révélaient bel et bien catastrophiques.

— O mon Dieu ! souffla Mma Ramotswe.

— Comme tu dis, approuva Mr. J.L.B. Matekoni. O mon Dieu !

CHAPITRE XVI

Doigts coupés et serpents venimeux

A l'origine, c'est-à-dire trente ans auparavant, Gaborone comptait très peu d'usines. En fait, en cette nuit venteuse de 1966 où la princesse Marina regarda l'Union Jack descendre lentement dans le stade et où le protectorat du Bechuanaland cessa d'exister, il n'y en avait pas une seule. Agée de huit ans et élève à l'école publique de Mochudi, Mma Ramotswe n'avait eu que très vaguement conscience qu'il se passait des choses importantes et que ce que les gens nommaient liberté était survenu. Ne constatant aucun changement le lendemain de la cérémonie, elle s'était interrogée sur la signification de ce terme. A présent, bien sûr, elle en connaissait le sens et son cœur s'emplissait d'orgueil lorsqu'elle songeait à toutes les avancées réalisées en trente années à peine. Ces vastes andains dont les Britanniques ne savaient que faire avaient prospéré pour constituer, de loin, l'État le mieux géré d'Afrique. Aujourd'hui, les gens pouvaient hurler « *Pula! Pula!* Pluie ! Pluie ! » avec une immense fierté.

Gaborone s'était étendue et transformée à en devenir méconnaissable. Lors de sa première visite — elle était toute petite à l'époque —, Mma Ramotswe n'avait vu que quelques rangées de maisons, disposées autour du centre commercial et des bâtiments gouvernementaux.

C'était bien plus grand que Mochudi, évidemment, et cent fois plus impressionnant, avec les administrations et la maison de Seretse Khama, mais cela restait petit, vraiment, pour qui avait vu des photographies de Johannesburg, ou même de Bulawayo. Et aucune usine. Pas la moindre.

Et puis, peu à peu, les choses avaient évolué. Quelqu'un avait bâti une fabrique de meubles, qui produisait de robustes chaises de salon. Un deuxième avait créé une modeste usine de parpaings destinés à la construction. D'autres avaient suivi et, bientôt, il s'était constitué aux abords de Lobatse Road un petit territoire qu'on appelait la zone industrielle. Un grand élan de fierté en avait découlé : c'était donc cela qu'apportait la liberté, avaient pensé les gens. Il y avait l'Assemblée législative et la Maison des chefs, bien sûr, où l'on pouvait dire tout ce que l'on voulait — et où l'on ne se privait pas de le faire —, mais il existait également ces petites fabriques, et les emplois qui allaient avec. Une usine de camions avait même vu le jour sur Francistown Road. On y assemblait dix poids lourds par mois, que l'on expédiait dans des contrées aussi lointaines que le Congo. Et tout cela était parti de rien !

Mma Ramotswe connaissait un ou deux directeurs d'usine, ainsi qu'un propriétaire. Ce dernier, un Motswana qui avait immigré d'Afrique du Sud pour jouir d'une liberté qu'on lui refusait là-bas, avait monté sa fabrique de boulons avec un capital de départ dérisoire, quelques éléments de machines d'occasion achetés dans une vente de faillite, à Bulawayo, et une main-d'œuvre composée de son beau-frère, de lui-même et d'un garçon handicapé mental qu'il avait trouvé assis sous un arbre et qui s'était révélé parfaitement apte à trier les boulons. L'affaire avait prospéré, surtout parce que l'idée qui la sous-tendait était simple : l'usine ne produisait qu'une seule sorte de boulons, ceux qui servaient à fixer sur leurs poutres les toits de fer-blanc galvanisé. Elle nécessitait un processus de fabrication très rudimentaire dans lequel n'intervenait qu'un modèle de machine-outil, appareil d'un type particulier puisqu'il semblait ne jamais tomber en panne et requérait un entretien minimum.

L'entreprise connut une croissance rapide et, lorsque Mma Ramotswe rencontra Hector Lepodise, le patron, l'usine employait déjà trente ouvriers et produisait des boulons permettant de fixer les toits sur leurs poutres pour une clientèle qui s'étendait jusqu'à Malawi. Au départ, tous les employés étaient membres de la famille, à l'exception du garçon handicapé mental, que l'on avait promu au service du thé. Avec le développement de l'entreprise toutefois, la famille se révéla insuffisante et Hector dut commencer à embaucher des étrangers. Il n'en conserva pas moins son mode de gestion paternaliste : il accordait une période de congé lors des deuils familiaux et versait le salaire intégral en cas de maladie réelle. En retour, le personnel se montrait dévoué et loyal. Cependant, avec trente employés, dont douze seulement appartenaient à la famille, il devenait inévitable que certains cherchent à abuser de cette bonté. Et c'est là que Mma Ramotswe entra en scène.

— Je n'arrive pas à mettre le doigt sur ce qui clochait chez lui, déclara Hector tout en buvant son café en compagnie de la détective sous la véranda de l'hôtel *Président*, mais ce garçon ne m'a jamais inspiré confiance. Il est arrivé à l'usine il y a six mois à peine, et maintenant, voilà où on en est !

— Où travaillait-il auparavant ? s'enquit Mma Ramotswe. Que disaient de lui ses anciens patrons ?

Hector haussa les épaules.

— Il avait une lettre de références provenant d'une

usine de l'autre côté de la frontière. J'ai écrit à l'entreprise, mais personne n'a daigné me répondre. Il y a là-bas des gens qui ne nous prennent pas au sérieux, tu sais. Ils nous considèrent de la même façon que leurs malheureux bantoustans. Tu sais comment ils sont...

Mma Ramotswe acquiesça. Elle savait. Ils n'étaient pas tous mauvais, bien sûr, mais beaucoup se révélaient détestables, ce qui, d'une certaine façon, éclipsait toutes les qualités humaines que pouvaient avoir les autres. C'était vraiment triste.

— Il est donc arrivé chez nous il y a six mois, reprit Hector. Comme il se débrouillait très bien, je l'ai installé sur la nouvelle machine, celle que je venais d'acheter à ce Hollandais... Il en a bien tiré parti, de sorte que je l'ai augmenté de cinquante pula par mois. Et puis, du jour au lendemain, il est parti et je n'ai plus eu de nouvelles.

— Il est parti sans raison? s'étonna Mma Ramotswe.

Hector fronça les sourcils.

— En tout cas, moi, je n'ai pas compris. Il a touché sa paie le vendredi et n'est plus jamais revenu. Cela s'est passé il y a deux mois. Lorsque j'ai de nouveau entendu parler de lui, c'était par une lettre venant de Mahalapye. Un avocat m'écrivait que son client, Mr. Solomon Moretsi, intentait une action en justice contre moi en vue d'obtenir la somme de quatre mille pula pour la perte d'un doigt à la suite d'un accident du travail survenu dans mon usine.

Mma Ramotswe remplit leurs tasses de café tout en digérant l'information.

— Et cet accident a-t-il eu lieu?

— Nous tenons un registre des incidents à l'usine, expliqua Hector. Quand quelqu'un se blesse, il doit le noter en décrivant ce qui s'est passé. J'ai regardé à la date indiquée par l'avocat et j'ai constaté qu'il y avait bien quelque chose. Moretsi avait écrit qu'il s'était blessé à un doigt de la main droite. Il a ajouté qu'il avait mis un pansement et que cela semblait aller. J'ai interrogé mes ouvriers et l'un d'eux m'a raconté qu'en effet il leur avait signalé ce jour-là qu'il quittait sa machine pour aller se soigner, parce qu'il s'était coupé le doigt. Sur le moment, ils ont pensé que ce n'était pas grave et personne ne s'en est plus soucié.

— Et il a quitté l'usine ?

— Oui, dit Hector. Quelques jours plus tard.

Mma Ramotswe observa son ami. C'était un homme honnête, elle le savait, et un bon patron. Quand un employé se blessait, elle était persuadée qu'il faisait de son mieux pour l'aider.

Hector but une gorgée de café.

— Je n'ai pas confiance en cet homme, reprit-il. Il ne m'a jamais plu. En tout cas, je ne crois pas un instant qu'il ait pu perdre un doigt dans mon usine. Cela lui est peut-être arrivé ailleurs, mais je n'y suis pour rien.

Mma Ramotswe sourit.

— Tu veux que je te retrouve ce doigt ? C'est pour cela que tu m'as invitée à l'hôtel *Président* ?

Hector se mit à rire.

— Oui. Et aussi parce que c'est un plaisir de passer un moment ici avec toi et que j'ai envie de te demander en mariage. Seulement je sais que la réponse sera toujours la même.

Mma Ramotswe lui tapota le bras.

— Le mariage, c'est très bien, répondit-elle. Mais quand on dirige l'Agence N° 1 des Dames Détectives de ce pays, on ne mène pas une vie de tout repos. Et je ne pourrais pas rester à la maison pour préparer à manger, tu le sais bien...

— Je t'ai toujours promis une cuisinière. Deux,

même, si tu veux. Tu pourrais continuer ton travail de détective.

Mma Ramotswe secoua la tête.

— Non, dit-elle. Tu auras beau me le demander, Hector Lepodise, j'ai bien peur que ma réponse soit toujours négative. Je t'aime beaucoup et je suis très heureuse de t'avoir pour ami, mais je ne veux pas de mari. J'en ai fini pour de bon avec les maris.

Mma Ramotswe se rendit à l'usine pour examiner les documents. Le bureau était étouffant et inconfortable, d'autant que rien ne le protégeait des bruits de l'atelier. Deux tables de travail et deux meubles de classement occupaient tout l'espace. Les tables étaient couvertes de reçus, de factures et de catalogues techniques.

— Ah, si seulement j'avais une femme! soupira Hector. Cette pièce ne serait pas dans un tel état. Il y aurait de la place pour s'asseoir et un vase sur mon bureau. Une femme ferait toute la différence.

Mma Ramotswe sourit, mais ne répondit rien. Elle ouvrit le cahier crasseux qu'il avait placé devant elle et le feuilleta. C'était le registre des incidents et elle y trouva comme prévu les détails de la blessure de Moretsi, exposés en majuscules d'une écriture peu assurée.

MORETSI : COUPURE AU DOIGT. DOIGT NUMÉRO 2 EN PARTANT DU POUCE. CAUSÉ PAR MACHINE. MAIN DROITE. PANSEMENT FAIT PAR LUI-MÊME. SIGNÉ : SOLOMON MORETSI. TÉMOIN : JÉSUS-CHRIST.

Elle relut ce texte et prit la lettre de l'avocat. Les dates concordaient.

« Mon client affirme que l'accident s'est produit le 10 mai dernier. Le lendemain, il s'est rendu à l'Hôpital Princesse Marina. La plaie a été pansée, mais une ostéomyélite s'est installée. La semaine suivante, une intervention chirurgicale a dû être pratiquée et le doigt blessé amputé à hauteur de l'articulation de la phalange (voir rapport médical joint). Mon client affirme que cet accident est la conséquence de votre négligence fautive, dans la mesure où vous avez omis de poser des protections sur certaines pièces de la machine-outil fonctionnant dans votre usine. J'ai donc reçu pour instruction d'intenter une action à votre encontre en réparation des dommages subis par mon client. Dans un esprit de conciliation, mon client ne serait cependant pas opposé à régler ce litige à l'amiable. Le préjudice pourrait être réparé par le versement par vos soins d'une somme de quatre mille pula. Dans ce cas, il se désisterait de toute instance et action à votre encontre. »

Mma Ramotswe parcourut la suite de la lettre qui, à son sens, n'était qu'une accumulation de jargon appris à la faculté de droit. Ces gens-là étaient insupportables : sous prétexte qu'ils avaient suivi quelques années d'enseignement à l'université du Botswana, ils se croyaient experts dans tous les domaines. Mais que savaient-ils de la vie ? Leur art se réduisait à répéter comme des perroquets les formules de leur profession et à s'obstiner jusqu'à ce que quelqu'un, quelque part, consentît à payer. Dans la plupart des cas, c'était par l'usure qu'ils avaient gain de cause, mais ils n'en estimaient pas moins devoir la victoire à leur talent. Combien d'entre eux seraient aptes à survivre dans sa profession à elle, qui exigeait tact et perspicacité ?

Elle consulta le dossier médical. Il était bref et décrivait avec précision ce que l'avocat avait paraphrasé. La date était correcte, le papier à en-tête semblait authentique et la signature du médecin figurait en bas. C'était un nom qu'elle connaissait.

Mma Ramotswe releva les yeux vers Hector, qui la regardait, interrogateur.

— L'affaire me paraît très simple, dit-elle. Il s'est coupé le doigt et la blessure s'est infectée. Que dit ta compagnie d'assurances ?

Hector poussa un soupir.

— Elle me conseille de payer. Elle dit qu'elle est prête à prendre ces frais en charge, parce que, à long terme, c'est la solution la plus économique. Quand on commence à engager des avocats, la note grimpe très vite. Apparemment, la compagnie est même disposée à payer jusqu'à dix mille pula pour éviter le procès, mais elle m'a demandé de ne le dire à personne. Elle ne veut pas que les gens pensent qu'elle est prête à se laisser taper.

— N'aurais-tu pas intérêt à l'écouter ? demanda Mma Ramotswe.

Elle ne comprenait pas pourquoi il niait l'évidence : l'accident avait eu lieu. Cet homme avait perdu un doigt et il méritait un dédommagement. Pourquoi Hector faisait-il tant de complications, alors qu'il n'aurait même pas à payer de sa poche ?

Hector parut deviner ses pensées.

— Il n'aura pas cet argent, déclara-t-il. Je refuse, un point c'est tout. Pourquoi donnerais-je de l'argent à un gars qui, j'en suis sûr, essaie de me rouler ? Si je cède cette fois-ci, il va recommencer chez un autre. Je préfère donner ces quatre mille pula à une personne qui les mérite.

Du doigt, il désigna la porte de communication avec l'atelier.

— J'ai là une femme, poursuivit-il, qui a dix enfants. Oui, dix ! Et c'est une employée modèle. Imagine ce qu'elle pourrait faire avec quatre mille pula.

— Mais elle n'a pas perdu de doigt ! coupa Mma Ramotswe. Lui, il aura sans doute besoin de cet argent s'il ne peut plus travailler comme avant.

— Allons, allons ! Cet homme est un escroc ! Je ne

pouvais pas le renvoyer parce que je n'avais rien à lui reprocher de concret. Mais je savais que ce n'était pas quelqu'un de bien. Et nous étions plusieurs à ne pas l'aimer. Le garçon qui s'occupe du thé, celui qui a un trou dans la cervelle, il a un sixième sens. Il refusait de lui apporter le thé. Il affirmait que ce gars-là était un chien et qu'il ne pouvait donc pas boire du thé. Tu vois, il savait. Ces gens-là sentent ces choses.

— Seulement il y a une grande différence entre avoir des soupçons et pouvoir prouver quelque chose, objecta Mma Ramotswe. Tu ne peux pas te lever devant la haute cour de Lobatse et expliquer qu'il y avait chez cet employé quelque chose qui ne te revenait pas. Le juge se moquerait de toi. C'est ce que font les juges quand ils entendent ce genre de chose. Ils se mettent à rire.

Hector demeura silencieux.

— Accepte, insista Mma Ramotswe avec douceur. Fais ce que te conseille l'assurance. Sinon, tu te retrouveras avec une addition bien plus lourde que quatre mille pula.

Hector secoua la tête.

— Je ne paierai pas pour une chose dont je ne suis pas responsable, persista-t-il à travers ses dents serrées. Je veux que tu découvres de quoi il retourne. Et si, dans une semaine, tu reviens me voir en me disant que je me trompe, je paierai sans un murmure. Ça va comme ça ?

Mma Ramotswe acquiesça. Elle comprenait la réticence de son ami à accorder des dommages et intérêts qu'il estimait ne pas devoir, et les honoraires qu'elle lui réclamerait pour une semaine d'enquête ne seraient pas très élevés. De toute façon, il était riche et pouvait se permettre de dépenser son argent pour une question de principe. Et puis, si Moretsi mentait, ils auraient confondu un fraudeur. Elle donna donc son accord et

172

repartit au volant de sa petite fourgonnette blanche en se demandant comment elle pourrait bien s'y prendre pour démontrer que le doigt manquant n'avait rien à voir avec l'usine d'Hector. Lorsqu'elle se gara devant l'agence et retrouva la fraîcheur de la salle d'attente, elle s'aperçut qu'elle n'avait pas la moindre idée sur la façon de procéder. L'affaire présentait toutes les apparences d'un échec annoncé.

Ce soir-là, allongée dans la chambre à coucher de la maison de Zebra Drive, Mma Ramotswe s'aperçut que le sommeil la fuyait. Elle se leva, enfila ses pantoufles roses, qu'elle mettait toujours depuis la nuit où elle avait été piquée par un scorpion, et gagna la cuisine pour se préparer du thé rouge.

La nuit, la maison paraissait terriblement différente. Chaque chose se trouvait à sa place, bien sûr, mais, d'une certaine manière, les meubles semblaient plus anguleux, les tableaux du mur plus abstraits. Elle se souvint avoir entendu dire que, la nuit, nous étions tous des étrangers, même pour nous-mêmes, et cette formule la frappa soudain comme une réalité. Tous les objets de sa vie quotidienne avaient l'air d'appartenir à une autre, à une personne nommée Mma Ramotswe qui n'était pas tout à fait celle qui déambulait dans la maison en pantoufles roses. Même la photographie de son papa en costume bleu canard paraissait différente. Elle présentait une personne nommée Obed Ramotswe, bien sûr, mais non le papa que Mma Ramotswe avait connu, cet homme qui avait tout sacrifié pour sa fille et dont le dernier vœu avait été de la voir à la tête d'un commerce florissant. Comme il aurait été fier de la découvrir à présent propriétaire de l'Agence N° 1 des Dames Détectives, connue de tous ceux qui comptaient en ville, et même de certains secrétaires permanents et de ministres du gouvernement! Et comme il se serait senti important en apprenant que, ce matin-là même, elle avait manqué de percuter le haut commissaire malawite alors qu'elle quittait l'hôtel *Président*. « Bonjour, Mma Ramotswe ! lui avait lancé le haut commissaire. Vous avez bien failli me culbuter, mais soyez sûre que vous êtes la seule personne par qui j'accepterais avec plaisir d'être envoyé au tapis, Dieu m'est témoin ! » Être connue d'un haut commissaire ! Entendre des personnalités de ce calibre vous saluer par votre nom ! Certes, ces gens-là ne l'impressionnaient pas le moins du monde, fussent-ils hauts commissaires, mais son papa, lui, était sensible aux distinctions, et elle regrettait qu'il n'eût pas vécu assez longtemps pour voir cela.

Elle prépara le thé et s'installa dans son meilleur fauteuil pour le boire. La nuit était chaude et les chiens de toute la ville hurlaient, s'excitant les uns les autres dans l'obscurité. On ne les entendait même plus, songea-t-elle, tant ils faisaient partie du paysage sonore, ces chiens hurlants qui défendaient leur territoire contre les ombres et le souffle du vent. Quelles créatures stupides !

Elle repensa à Hector. C'était un homme têtu — il avait cette réputation — mais elle le respectait plutôt pour cela. Pourquoi paierait-il, en effet ? Qu'avait-il dit, déjà ? *Si je cède cette fois-ci, il va recommencer chez un autre.* Elle réfléchit quelques instants, puis posa la tasse de thé rouge sur la table. L'idée lui était venue tout à coup, comme toutes ses bonnes idées. Et si Hector était lui-même cet *autre* ? Et si Moretsi avait déjà porté plainte ailleurs ? Hector était-il vraiment le premier ?

Quelques minutes plus tard, elle sombrait dans un sommeil paisible. Elle s'éveilla le lendemain avec la certitude qu'après quelques recherches, et peut-être une escapade à Mahalapye, elle aurait percé à jour les exigences fallacieuses de Moretsi. Elle avala un petit déjeuner rapide et partit à l'agence. L'hiver touchait à sa fin, de sorte que la température de l'air était idéale et le ciel brillant, bleu pâle et sans nuages. Il flottait une légère odeur de bois brûlé, une odeur qui fit battre son cœur parce qu'elle lui rappela certains matins autour du feu, à Mochudi. Elle retournerait là-bas, pensa-t-elle, quand elle aurait assez travaillé pour pouvoir prendre sa retraite. Elle achèterait une maison, ou en ferait construire une peut-être, et demanderait à l'une de ses cousines de venir vivre avec elle. Elles planteraient des melons dans le jardin et pourraient même acquérir une petite épicerie au village. Chaque matin, elle s'installerait dans un fauteuil, devant sa maison, pour humer les odeurs de bois brûlé et penser à la journée qui s'annonçait et qu'elle passerait à bavarder avec ses amis. Comme elle était triste pour ces Blancs qui ne pouvaient rien faire de tout cela et perdaient leur temps à courir en tous sens, pleins d'inquiétude pour des choses qui arriveraient de toute façon... Quel intérêt y avait-il à posséder tant d'argent si l'on ne pouvait rester assis à ne rien faire ou à regarder paître son bétail ? Aucun, à son sens. Pas le moindre, et pourtant, ces gens-là l'ignoraient. De temps à autre, on rencontrait un Blanc qui en prenait conscience, qui comprenait soudain ce qu'était la vie. Mais ceux-là étaient rares et, souvent, les autres Blancs les traitaient avec suspicion.

La femme de ménage était arrivée avant elle. Mma Ramotswe lui demanda des nouvelles de sa famille. La femme avait un fils gardien de prison et un autre apprenti cuisinier à l'*Hôtel du Soleil*. Tous deux se débrouillaient bien, chacun à sa façon, et Mma Ramotswe s'intéressait toujours à eux. Ce matin-là toutefois, elle abrégea le bavardage de la femme de ménage — avec tout le tact requis — et se mit au travail.

Les pages jaunes lui fournirent les informations qu'elle recherchait. Il existait dix compagnies d'assurances implantées à Gaborone. Quatre d'entre elles étaient de faible importance et assez spécialisées. Elle connaissait les six autres de réputation et avait même travaillé pour la plupart. Elle en dressa la liste, nota les numéros de téléphone et commença.

Tout d'abord, elle appela la Botswana Eagle Company. Pourtant désireux de l'aider, son correspondant ne put lui être d'aucun secours. Il en fut de même avec la Mutual Life Company of Southern Africa et la Southern Star Insurance Company. Ce fut en téléphonant à la quatrième, la Kalahari Accident and Indemnity, qui réclama plus d'une heure pour fouiller les archives, qu'elle obtint le renseignement souhaité.

— Nous avons trouvé une plainte déposée à ce nom, dit la femme à l'autre bout du fil. Il y a deux ans, un accident du travail dans une station-service en ville. Le pompiste a dit s'être blessé au doigt en reposant le pistolet à essence sur son socle. Il a perdu le doigt et réclamé de l'argent à l'assurance de son employeur.

Le cœur de Mma Ramotswe bondit dans sa poitrine.

— Quatre mille pula ? demanda-t-elle.

— A peu près, répondit l'employée. Nous sommes tombés d'accord sur trois mille huit cents pula.

— C'était la main droite ? pressa Mma Ramotswe. Le deuxième doigt en partant du pouce ?

L'employée fourragea dans ses documents.

— Oui, dit-elle. Il y a un rapport médical. Il parle de... je ne suis pas sûre de bien prononcer... ostéomy...

— ... élite ! compléta Mma Ramotswe. Qui a nécessité l'amputation du doigt à la hauteur de l'articulation de la phalange ?

— Oui, dit l'employée. Exactement.

Il fallait encore recueillir un ou deux détails et Mma Ramotswe s'y attacha, avant de remercier l'employée et de raccrocher. Pendant quelques instants, elle demeura immobile, savourant la satisfaction d'avoir mis la fraude au jour aussi vite. Restaient cependant plusieurs choses à régler et, pour cela, elle devait aller à Mahalapye. Elle espérait rencontrer Moretsi, si c'était possible, mais brûlait surtout d'envie de s'entretenir avec l'avocat. Cela serait, pensait-elle, un immense plaisir qui justifierait plus ou moins les deux heures de trajet sur l'épouvantable route de Francistown.

L'avocat se montra tout à fait disposé à la recevoir l'après-midi même. Persuadé qu'elle avait été engagée par Hector pour apporter l'argent, il s'imaginait qu'il n'aurait aucune difficulté à lui faire accepter ses propres termes par l'intimidation. Peut-être tenterait-il d'obtenir un peu plus que les quatre mille pula réclamés à l'origine. Pour cela, il arguerait de nouveaux facteurs intervenus dans l'évaluation des dommages, qui obligeaient à augmenter la somme. Il emploierait le terme *quantum*, qui était latin sans doute, et pourrait même faire référence à une récente décision de la cour d'appel ou de la juridiction d'appel de Bloemfontein. Il y avait là de quoi intimider n'importe qui, surtout une femme ! Et oui, il était sûr que Mr. Moretsi pourrait se rendre disponible. C'était un homme très occupé, bien sûr... Non, en fait, il ne l'était pas du tout puisqu'il ne pouvait plus travailler, le malheureux, après sa mutilation, mais l'avocat ferait tout pour qu'il soit présent.

Mma Ramostwe gloussa en reposant le combiné. Il allait devoir chercher son client au fond d'un bar, se dit-elle, où il fêtait sans doute déjà l'obtention des quatre mille pula. Eh bien, il aurait une surprise désagréable en découvrant en Mma Ramotswe l'envoyée de Némésis.

A midi, elle laissa l'agence à la garde de sa secrétaire et partit pour Mahalapye au volant de la petite fourgonnette blanche. Le soleil était haut dans le ciel, et il faisait vraiment très chaud. Dans quelques mois, la chaleur se révélerait insoutenable et parcourir la moindre distance à cette heure de la journée tiendrait du cauchemar. Mma Ramotswe roulait vitres baissées et l'air qui s'engouffrait dans la fourgonnette rafraîchissait l'atmosphère. Elle dépassa le Centre d'études et de recherches des pays secs et laissa sur sa droite la bifurcation pour Mochudi. Elle longea les collines qui se dressaient à l'est de Mochudi, puis descendit dans l'immense vallée. Autour d'elle, il n'y avait plus rien à présent : rien que l'interminable savane que délimitaient d'un côté le Kalahari et, de l'autre, les plaines du Limpopo. La savane vide, déserte, où l'on apercevait seulement, ici ou là, quelques vaches assoiffées, tandis que grinçaient les ailes d'un moulin à vent qui s'efforçait de faire remonter le minuscule filet d'eau qui leur était destiné. Rien, rien, voilà de quoi son pays était si riche : le vide.

Elle se trouvait à une demi-heure de Mahalapye quand le serpent surgit en travers de la route. Lorsqu'elle l'aperçut, il était déjà à demi engagé sur la voie, trait vert sur le bitume noir. Puis elle parvint à sa hauteur et le serpent disparut sous la fourgonnette. Elle retint son souffle et ralentit pour jeter un coup d'œil dans le rétroviseur. Où était le serpent ? Était-il parvenu à traverser à temps ? Non, c'était impossible. Elle l'avait vu passer sous la voiture et était sûre d'avoir entendu quelque chose, un bruit sourd.

Elle arrêta la petite fourgonnette blanche au bord de la route et regarda de nouveau dans le rétroviseur. Aucun signe du reptile. Elle baissa les yeux sur le volant, qu'elle tapota de ses doigts. Peut-être avait-il été trop rapide pour être vu ? Ces serpents-là pouvaient se mouvoir à une vitesse étonnante. Seulement, elle avait vérifié aussitôt après son passage et le reptile lui semblait bien trop gros pour disparaître ainsi. Non, il était dans la fourgonnette, quelque part, dans le châssis, ou peut-être sous son siège. Elle savait que cela arrivait de temps en temps. Des conducteurs accueillaient des serpents comme passagers et ne s'en apercevaient qu'au moment où la bête les mordait. On racontait beaucoup d'histoires de personnes qui mouraient ainsi au volant, alors qu'elles conduisaient encore, mordues par des serpents qui s'étaient pris dans l'enchevêtrement de tiges et de tuyaux situés sous les véhicules.

Mma Ramotswe ressentit le besoin urgent de quitter la petite fourgonnette blanche. Elle ouvrit la portière, d'abord hésitante, puis la repoussa violemment et bondit, pour se tenir, haletante, à côté du véhicule. Il y avait un serpent là-dessous, elle en était sûre. Mais comment le faire sortir? Et quel serpent était-ce? Il était vert, elle s'en souvenait, ce qui signifiait au moins que ce n'était pas un mamba. Certes, les gens parlaient beaucoup des mambas verts, qui existaient sans doute, mais Mma Ramotswe savait qu'ils ne fréquentaient que certaines zones bien délimitées et qu'on n'en trouvait absolument pas au Botswana. Et puis, ils vivaient dans les arbres et la savane ne les attirait pas. Non, il devait plutôt s'agir d'un cobra, pensa-t-elle, parce qu'il était assez gros et qu'elle n'avait pas le souvenir d'autres serpents verts aussi longs.

Mma Ramotswe demeurait immobile. Le serpent l'observait peut-être en cet instant, prêt à l'attaquer si elle s'approchait d'un pouce. Ou alors, il avait pu s'insinuer dans la cabine de la petite fourgonnette blanche et il était en train de s'installer sous le siège du conducteur. Elle se pencha pour tenter de regarder sous le véhicule, mais elle ne pouvait se baisser suffisamment sans se mettre à genoux. Si elle faisait cela et que le serpent choisissait cet instant pour bouger, elle craignait de ne pas pouvoir fuir assez vite. Elle se redressa donc et pensa à Hector. C'était à cela que servaient les maris. Si elle avait accepté de l'épouser bien des années plus tôt, elle ne serait pas là aujourd'hui, à rouler toute seule vers Mahalapye. Elle aurait un homme auprès d'elle, un homme qui regarderait sous la fourgonnette et délogerait le serpent d'une manière ou d'une autre.

La route était peu fréquentée, mais il passait tout de même une voiture ou un camion de temps à autre. Mma Ramotswe percevait justement un bruit de moteur au loin. Un véhicule arrivait de Mahalapye. Il ralentit en approchant et s'immobilisa à sa hauteur. Il y avait un homme au volant et un jeune garçon près de lui.

— Des ennuis, Mma ? demanda-t-il poliment. Vous êtes en panne ?

Mma Ramotswe traversa la route pour lui parler par la vitre baissée. Elle lui exposa le problème du serpent et il éteignit son moteur. Il descendit de voiture après avoir ordonné au garçon de ne pas bouger de son siège.

— Ils s'accrochent au-dessous, expliqua-t-il. Cela peut être dangereux. Vous avez bien fait de vous arrêter.

Il s'approcha de la petite fourgonnette blanche avec précaution et, se penchant par la portière ouverte, tendit la main vers le levier qui commandait l'ouverture du capot et le tira d'un coup sec. Satisfait, il gagna l'avant du véhicule et, à gestes très lents, entreprit de soulever le capot. Mma Ramotswe le rejoignit et se posta derrière lui pour le regarder agir par-dessus son épaule, prête à décamper à la moindre alerte.

L'homme se figea soudain.

— Ne faites aucun mouvement brusque, ordonna-t-il à voix basse. Il est là. Regardez.

180

Mma Ramotswe scruta le moteur. Pendant quelques instants, elle ne remarqua rien d'anormal, puis le serpent remua légèrement et elle le vit. Elle avait eu raison, c'était un cobra. Enlaçant le moteur, il tournait lentement la tête à droite et à gauche, comme s'il cherchait quelque chose.

L'homme se tenait toujours immobile. Il toucha l'avant-bras de Mma Ramotswe.

— Retournez très doucement au volant, souffla-t-il. Asseyez-vous et démarrez. Compris ?

Mma Ramotswe acquiesça. À pas très lents, elle s'exécuta et, une fois installée, tourna la clé de contact.

Le moteur prit vie aussitôt, comme toujours. La petite fourgonnette blanche n'avait jamais manqué de démarrer au quart de tour.

— Appuyez sur l'accélérateur ! hurla l'homme. Faites tourner le moteur à fond !

Mma Ramotswe obéit et le moteur rendit un vrombissement guttural. Un son lui parvint de l'avant, un autre bruit sourd, puis l'homme lui fit signe de couper le contact. Mma Ramotswe tourna la clé et attendit de s'entendre confirmer qu'elle pouvait sortir en toute sécurité.

— Vous pouvez sortir, appela-t-il. C'est la fin du cobra.

Elle quitta son siège et le rejoignit. En baissant les yeux sur le moteur, elle aperçut le serpent, coupé en deux, immobile.

— Il s'est pris dans les pales du ventilateur, dit l'homme avec une grimace de dégoût. Ce n'est pas une belle façon de partir, même pour un serpent. Mais il aurait très bien pu se glisser dans la cabine et vous mordre, vous savez. Alors tout est bien qui finit bien. Vous êtes vivante.

Mma Ramotswe le remercia et repartit, laissant le cobra sur le bord de la route. On pourrait dire que le trajet avait été mouvementé, même si la demi-heure de route restante se déroulait sans encombre. Ce qui fut le cas.

— Bien, fit maître Jameson Mopotswane, l'avocat de Mahalapye, en se rasseyant derrière son bureau dans la pièce miteuse qui lui servait de cabinet, près de la boucherie. Mon pauvre client sera un peu en retard, car le message lui est parvenu il y a quelques minutes à peine. Mais nous pouvons évoquer les détails du règlement avant son arrivée.

Mma Ramotswe savoura l'instant. Elle s'adossa confortablement à son siège et promena son regard sur le mobilier vétuste.

— On dirait que les affaires ne marchent pas fort dans le coin, ces temps-ci ! lança-t-elle.

Jameson Mopotswane se hérissa.

— Elles ne marchent pas si mal que ça, protesta-t-il. A la vérité, je suis débordé. J'arrive ici à sept heures le matin et quand je repars le soir, il est six heures passées.

— Tous les jours ? interrogea innocemment Mma Ramotswe.

Jameson Mopotswane la dévisagea sans comprendre.

— Oui, répondit-il. Tous les jours, samedi compris. Parfois même le dimanche.

— Vous devez avoir beaucoup à faire, commenta Mma Ramotswe.

Jameson Mopotswane prit ces derniers mots pour une tentative d'apaisement et sourit, mais Mma Ramotswe enchaîna :

— Oui, beaucoup à faire, à démêler les mensonges de vos clients de la vérité occasionnelle... très occasionnelle.

Jameson Mopotswane posa son stylo sur la table et

foudroya son interlocutrice du regard. Qui était cette insolente et de quel droit parlait-elle sur ce ton de ses clients ? Si c'était ainsi qu'elle entendait jouer la partie, il se ferait un plaisir de ne rien conclure à l'amiable. Rien ne l'empêcherait d'engager une procédure, même si porter l'affaire devant les tribunaux retarderait le versement des dommages et intérêts.

— Mes clients ne mentent pas, affirma-t-il d'une voix lente. Pas plus que la majorité des gens, en tout cas. Et ce n'est certainement pas à vous, si je puis me permettre, de suggérer qu'ils mentent.

Mma Ramotswe haussa un sourcil.

— Ah bon ? fit-elle. Eh bien, prenons l'exemple de Mr. Moretsi, si vous le voulez bien. Combien de doigts a-t-il ?

Jameson Mopotswane lui décocha un regard chargé de répugnance.

— Ce n'est pas très glorieux de se moquer des malheureux ! lança-t-il. Vous savez très bien qu'il en a neuf, ou neuf et demi, si vous tenez à couper les cheveux en quatre.

— Très intéressant, répondit Mma Ramotswe. Et si tel est le cas, comment se fait-il qu'il ait pu réclamer — et obtenir — des indemnités de la Kalahari Accident and Indemnity, il y a environ deux ans, pour la perte d'un doigt dans un accident du travail dans une station-service ? Pouvez-vous me l'expliquer ?

L'avocat se figea.

— Il y a deux ans ? articula-t-il. Un doigt ?

— Oui, répliqua Mma Ramotswe. Il a réclamé quatre mille pula — sacrée coïncidence ! — et en a obtenu trois mille huit cents. La compagnie m'a fourni le numéro de la plainte, si vous tenez à vérifier. Ces gens-là se montrent toujours très serviables, je trouve, lorsqu'il y a soupçon de fraude à l'assurance. Remarquablement serviables.

Jameson Mopotswane garda le silence et, soudain, Mma Ramotswe éprouva une pitié profonde pour cet homme. Elle n'aimait pas les avocats, certes, mais celui-ci s'efforçait de gagner sa vie, comme n'importe quel individu. Ne se montrait-elle pas trop dure à son égard ? Peut-être avait-il des parents âgés à entretenir, qu'en savait-elle ?

— Montrez-moi l'original du rapport médical, demanda-t-elle d'un ton plus doux. Je suis curieuse de le voir.

L'avocat prit un dossier sur son bureau et en tira le document.

— Le voici, dit-il. Il me semble parfaitement authentique.

Mma Ramotswe examina la feuille de papier à en-tête, puis secoua la tête.

— Et voilà ! fit-elle. C'est exactement ce que je pensais. Regardez la date, là. Elle a été blanchie et remplacée par une autre. Notre ami a effectivement été amputé d'un doigt par le passé, et cette amputation a très bien pu être la conséquence d'un accident du travail. Mais ensuite, il lui a suffi de se procurer du fluide correcteur, de changer la date et d'inventer un nouvel accident.

L'avocat saisit le rapport médical et l'exposa à la lumière. C'était inutile : même à plat, la couche de blanc apparaissait nettement.

— Je m'étonne que vous ne l'ayez pas vu, déclara Mma Ramotswe. Je ne pense pas qu'un laboratoire médico-légal soit nécessaire pour faire apparaître la supercherie.

On en était à ce stade de l'humiliation de l'avocat lorsque Moretsi arriva. Il pénétra dans le bureau et se dirigea droit vers Mma Ramotswe, la main tendue. Elle regarda celle-ci et vit le moignon. Elle repoussa la main offerte.

— Asseyez-vous, ordonna Jameson Mopotswane d'un ton glacial.

Moretsi parut surpris, mais s'exécuta.

— Ainsi, vous êtes la dame qu'on a envoyée pour payer...

L'avocat le coupa net.

— Cette dame n'est pas ici pour payer quoi que ce soit, dit-il. Elle a fait toute la route depuis Gaborone pour venir vous demander pourquoi vous passez votre temps à porter plainte pour des doigts perdus.

Mma Ramotswe avait observé Moretsi pendant que l'avocat parlait. Même si elle n'avait pas obtenu la preuve de sa malhonnêteté, l'expression déconfite de l'homme eût suffi à la convaincre. Les gens s'effondraient toujours une fois confrontés à la vérité. Très, très peu parvenaient à donner le change.

— Je passe mon temps à... articula-t-il mollement.

— Oui, intervint Mma Ramotswe. Vous avez déclaré, je crois, avoir perdu trois doigts. Or, si je regarde votre main aujourd'hui, je remarque que deux d'entre eux ont miraculeusement repoussé ! C'est merveilleux ! Auriez-vous découvert un nouveau remède pour faire repousser les doigts coupés ?

— Trois ? fit l'avocat, perplexe.

Mma Ramotswe regarda Moretsi.

— Eh bien, dit-elle, il y a eu la compagnie Kalahari Accident. Ensuite... Pourriez-vous me rafraîchir la mémoire ? Je dois avoir noté ça quelque part dans mes papiers...

Moretsi se tourna vers son avocat, en quête de soutien, mais il ne trouva que de la colère.

— La Star Insurance, murmura-t-il.

— Ah oui ! acquiesça Mma Ramotswe. Je vous remercie.

L'avocat saisit le rapport médical et le secoua sous le nez de son client.

— Vous pensiez peut-être pouvoir me berner avec un... un procédé aussi grossier ? Vous espériez vous en tirer comme ça ?

Moretsi garda le silence, tout comme Mma Ramotswe. Elle n'était pas surprise, bien sûr. On ne pouvait pas compter sur ces gens-là, même s'ils avaient des diplômes de droit à inscrire derrière leur nom.

— Quoi qu'il en soit, reprit Jameson Mopotswane, votre petit jeu a assez duré. Vous allez devoir payer une amende pour fraude, voyez-vous, et ne comptez pas sur moi pour vous défendre ! Il faudra trouver quelqu'un d'autre, mon ami !

Moretsi se tourna vers Mma Ramotswe, qui le regarda droit dans les yeux.

— Pourquoi avez-vous fait ça ? demanda-t-elle. Dites-moi simplement pourquoi vous vouliez gagner de l'argent de cette façon ?

Moretsi sortit un mouchoir de sa poche et se moucha.

— J'ai mes deux parents à charge, expliqua-t-il. J'ai aussi une sœur qui a cette maladie dont tout le monde meurt en ce moment. Vous voyez de quoi je parle. Elle a des enfants. Elle a besoin de moi pour les nourrir.

Mma Ramotswe scruta ses yeux. Elle avait toujours su deviner si un interlocuteur mentait ou non, et là, Moretsi disait la vérité. Elle réfléchit rapidement. Il n'y avait guère d'intérêt à envoyer cet homme en prison. Quel bienfait cela apporterait-il ? Cela ne ferait qu'accroître les tourments d'êtres qui souffraient déjà : les parents et la pauvre sœur. Elle savait de quoi il parlait, comprenait ce qu'il voulait dire.

— Très bien, déclara-t-elle. Je ne dirai rien à la police. Et mon client ne portera pas plainte non plus. Mais en retour, vous devez promettre qu'il n'y aura plus de doigts perdus. Vous m'avez bien comprise ?

Moretsi hocha aussitôt la tête.

— Vous êtes une bonne chrétienne, dit-il. Dieu vous réservera une place de choix au paradis.

— Je l'espère, répondit Mma Ramotswe. Mais je sais également me rendre très désagréable quand je le veux. Et si j'apprends que vous avez recommencé votre petit jeu avec les compagnies d'assurances, vous découvrirez très vite ce que j'entends par là.

— Je comprends, assura Moretsi. Je comprends.

— Vous savez, ajouta Mma Ramotswe avec un coup d'œil à l'avocat attentif, il y a des gens dans ce pays, des hommes, qui pensent que les femmes sont gentilles et qu'on peut les manipuler à volonté. Eh bien, ce n'est pas mon cas. Je peux vous dire, si cela vous intéresse, que j'ai tué un cobra, un énorme cobra, tout à l'heure, en venant ici.

— Ah bon? s'exclama Jameson Mopotswane. Comment avez-vous fait?

— Je l'ai coupé en deux, répondit Mma Ramotswe. Tranché net!

CHAPITRE XVII

Le troisième métacarpien

Les affaires comme celle-là étaient du divertissement pur. Quel plaisir de les élucider aussi vite, et à l'évidente satisfaction du client ! Toutefois, il lui était impossible de chasser de son esprit le fait qu'il existait, rangée au fond du tiroir, une petite enveloppe brune au contenu préoccupant.

Elle la prit discrètement, veillant à ne pas être vue de Mma Makutsi. Certes, elle faisait confiance à la secrétaire, mais il s'agissait là d'une affaire bien plus confidentielle que toutes celles traitées jusque-là. Pour la première fois, il planait un réel danger.

Elle quitta l'agence sous le prétexte d'aller à la banque. Plusieurs chèques étaient arrivés et devaient être déposés. Cependant, elle ne s'y rendit pas, du moins pas tout de suite. Elle se dirigea plutôt vers l'Hôpital Princesse Marina et suivit les pancartes marquées « PATHOLOGIE ».

Une infirmière l'arrêta.

— Vous venez identifier un corps, Mma ?

Mma Ramotswe secoua la tête.

— Je viens voir le Dr Gulubane. Je n'ai pas rendez-vous, mais il me recevra. Je suis sa voisine.

L'infirmière la couvrit d'un regard soupçonneux, mais la pria néanmoins d'attendre pendant qu'elle allait chercher le docteur. De retour quelques minutes plus tard, elle annonça qu'il serait là sous peu.

— Vous ne devriez pas déranger les médecins à l'hôpital, ajouta-t-elle d'un ton désapprobateur. Ils sont très occupés, vous savez.

Mma Ramotswe considéra l'infirmière. Quel âge avait-elle ? Dix-neuf ans, vingt peut-être ? Du vivant de son père, une fille de dix-neuf ans ne se serait jamais adressée à une femme de trente-cinq ans comme si elle avait affaire à un enfant agaçant. Seulement, les choses avaient changé. Les jeunes ne manifestaient plus de respect pour leurs aînés, même lorsque ceux-ci avaient une stature imposante. Devait-elle lui dire qu'elle était détective ? Non, il était inutile d'engager la conversation avec une personne de ce genre. Mieux valait l'ignorer.

Le Dr Gulubane arriva. Il portait une blouse verte — Dieu savait quelle épouvantable tâche il venait d'accomplir — et semblait ravi d'avoir été dérangé.

— Venez dans mon bureau, dit-il. Nous serons plus à l'aise pour bavarder.

Mma Ramotswe le suivit jusqu'à une petite pièce qui ne comportait qu'une table totalement vide, un téléphone et un vieux classeur gris. Cela ressemblait à un bureau de petit fonctionnaire. Seuls les ouvrages médicaux posés sur une étagère renseignaient sur le métier de son occupant.

— Comme vous le savez, commença-t-elle, je suis détective, maintenant.

Le Dr Gulubane sourit. Il avait un caractère remarquablement gai, pensa-t-elle, pour un homme qui exerçait un tel métier.

— Vous ne me ferez rien révéler sur mes patients ! prévint-il. Même s'ils sont morts.

Elle se mit à rire.

— Ce n'est pas ce que je suis venue chercher,

répondit-elle. Ce que je voulais vous demander, c'est d'identifier quelque chose. Je l'ai apporté.

Elle sortit l'enveloppe et en versa le contenu sur la table.

Le sourire du Dr Gulubane disparut instantanément. Le médecin saisit l'os et ajusta ses lunettes.

— Troisième métacarpien, murmura-t-il. Enfant. Huit ans. Neuf. A peu près.

Mma Ramotswe perçut soudain le souffle de sa propre respiration.

— Humain ?

— Bien entendu, fit le Dr Gulubane. Je vous l'ai dit, cela vient d'un enfant. Un os d'adulte serait plus gros. Cela se voit tout de suite. C'est un enfant de huit ou neuf ans. Peut-être un peu plus âgé.

Il reposa l'os sur la table et leva les yeux vers Mma Ramotswe.

— Où l'avez-vous trouvé ?

Mma Ramotswe haussa les épaules.

— C'est quelqu'un qui me l'a montré. Mais, moi non plus, je ne révèle rien sur mes clients.

Le Dr Gulubane esquissa une moue de dégoût.

— Ce genre de chose ne devrait pas circuler comme cela, affirma-t-il. Les gens n'ont aucun respect.

Mma Ramotswe opina du chef.

— Mais pouvez-vous m'en dire davantage ? Évaluer par exemple depuis quand le... l'enfant est mort ?

Le Dr Gulubane ouvrit un tiroir et en sortit une loupe pour examiner l'os, qu'il retourna plusieurs fois dans la paume de sa main.

— Cela ne fait pas très longtemps, répondit-il. Il y a encore une faible quantité de tissu au bout. Et il ne paraît pas totalement déshydraté. Cela doit faire quelques mois à peine, peut-être même moins. On ne peut avoir aucune certitude.

Mma Ramotswe frissonna. C'était une chose de

transporter un os, c'en était une autre de manipuler des tissus humains.

— Mais dites-moi ! ajouta le Dr Gulubane. Comment savez-vous que l'enfant à qui appartenait ce doigt est mort ? Je croyais que le détective, ici, c'était vous. J'aurais juré que vous vous seriez dit : ceci est une extrémité, les gens peuvent perdre des extrémités et survivre malgré tout ! Avez-vous réfléchi à cela, madame la détective ? J'ai l'impression que non !

Elle en informa Mr. J.L.B. Matekoni le soir même, chez elle, autour de la table du dîner. Il avait accepté l'invitation avec empressement et elle avait mitonné un bon ragoût, servi avec du riz et du melon. Au milieu du repas, elle lui fit part du résultat de sa visite au Dr Gulubane. Mr. J.L.B. Matekoni cessa de manger.

— Un enfant ?

L'incrédulité perçait dans sa voix.

— C'est ce qu'a dit le Dr Gulubane. Il n'était pas certain de l'âge. Mais d'après lui, il devait avoir huit ou neuf ans.

Mr. J.L.B. Matekoni frémit. Comme il eût préféré ne jamais avoir trouvé ce sac ! Ces choses-là existaient, tout le monde le savait, mais personne n'avait envie de s'y trouver mêlé. Cela ne pouvait apporter que des ennuis... Surtout quand Charlie Gotso était impliqué dans l'histoire.

— Que pouvons-nous faire ? interrogea Mma Ramotswe.

Mr. J.L.B. Matekoni ferma les yeux et déglutit avec difficulté.

— Prévenir la police, répondit-il. Et dans ce cas, Charlie Gotso saura tôt ou tard que c'est moi qui ai trouvé le sac. Et c'en sera fini de moi, ou à peu près.

Mma Ramotswe acquiesça. La police avait un intérêt limité à enquêter sur les crimes, et certains types de crimes ne l'intéressaient pas du tout. L'implication de personnalités importantes dans une histoire de sorcellerie figurait à n'en pas douter dans la seconde catégorie.

— Je ne pense pas qu'il faille prévenir la police, déclara Mma Ramotswe.

— Alors on oublie tout ça ?

Mr. J.L.B. Matekoni fixait Mma Ramotswe d'un regard suppliant.

— Non. Nous ne pouvons pas. Il y a trop longtemps que les gens prennent soin de remiser ce genre de choses dans un coin de leur esprit, tu ne crois pas ? Nous ne pouvons pas fermer les yeux.

Mr. J.L.B. Matekoni baissa la tête. L'appétit semblait l'avoir déserté et le ragoût refroidissait dans l'assiette.

— La première chose que nous allons faire, décida Mma Ramotswe, c'est casser le pare-brise de Charlie Gotso. Ensuite, tu lui téléphoneras pour lui annoncer que des voleurs ont fracturé sa voiture alors qu'elle se trouvait dans ton garage. Tu lui diras qu'à première vue rien n'a été volé, et que tu es prêt à prendre à ta charge le remplacement du pare-brise. Ensuite, tu attends et tu vois venir.

— Je vois venir quoi ?

— Tu vois s'il te dit qu'il manque quelque chose. Si c'est le cas, tu lui dis que tu te charges personnellement de récupérer l'objet manquant, quel qu'il soit. Tu lui expliques que tu as un contact, une dame détective privée, qui est experte dans la récupération d'objets volés. Il s'agit de moi, bien sûr.

La bouche de Mr. J.L.B. Matekoni s'était entrouverte de stupéfaction. On ne contactait pas Charlie Gotso comme cela. Pour parvenir à lui parler, il fallait avoir des relations et faire des pieds et des mains.

— Et ensuite ?

— Ensuite, je lui rapporte le sac et tu me laisses

jouer. Je lui ferai révéler le nom du sorcier et alors...
alors, nous réfléchirons.

A l'écouter, tout paraissait si simple qu'il fut
convaincu de l'efficacité du stratagème. C'était cela
qui était merveilleux avec la confiance : elle était
contagieuse.

Dès lors, Mr. J.L.B. Matekoni retrouva l'appétit. Il
termina son ragoût, se resservit, puis but une grande
tasse de thé. Mma Ramotswe le raccompagna à sa voiture et lui dit au revoir.

Elle demeura à la grille et regarda s'éloigner les
phares. Lorsqu'elle se retourna, elle vit les lumières
briller chez le Dr Gulubane. Les rideaux du salon
étaient ouverts et elle aperçut le médecin, debout à
sa fenêtre, face à la nuit. Il ne pouvait voir Mma
Ramotswe, car l'obscurité régnait et lui-même était
dans la lumière, mais elle eut néanmoins l'impression
qu'il la regardait.

CHAPITRE XVIII

Beaucoup de mensonges

L'un des jeunes mécaniciens lui tapota l'épaule, laissant une marque graisseuse sur la veste. Ce garçon faisait toujours la même chose et cela exaspérait Mr. J.L.B. Matekoni.

— Si tu veux attirer mon attention, lui expliquait-il régulièrement, tu peux me parler. J'ai un nom : je m'appelle Mr. J.L.B. Matekoni. Je réponds à ce nom. Ce n'est pas la peine de venir poser tes doigts sales sur ma veste.

Le garçon s'excusait, mais lui tapait de nouveau sur l'épaule le lendemain. Mr. J.L.B. Matekoni avait compris qu'il livrait là un combat sans espoir.

— Il y a quelqu'un pour vous, Rra, dit le mécanicien. Dans le bureau.

Mr. J.L.B. Matekoni reposa sa clé anglaise et s'essuya les mains sur un chiffon. Il venait de réaliser une opération délicate : le réglage minutieux du moteur de Mrs. Grace Mapondwe, bien connue pour sa conduite sportive. Pour lui, il s'agissait d'une question d'amour-propre : en ville, les gens savaient que la mélodie du moteur de Mrs. Grace Mapondwe était due au savoir-faire de Mr. J.L.B. Matekoni. D'une certaine façon, cela lui faisait une publicité gratuite. Malheureusement, la dame avait épuisé la voiture et ramener un semblant de nervosité à ce moteur de plus en plus apathique tenait désormais de l'exploit.

Le visiteur avait pris place dans le fauteuil de Mr. J.L.B. Matekoni. Il avait ouvert un catalogue de pneumatiques, dont il tournait distraitement les pages. Lorsque Mr. J.L.B. Matekoni entra, il le referma d'une main négligente et se leva.

Mr. J.L.B. Matekoni évalua à qui il avait affaire. L'homme était vêtu de kaki, à la manière d'un militaire, et portait une coûteuse ceinture en peau de serpent. Il avait également une montre sophistiquée à cadrans multiples, avec une trotteuse très visible. C'était le genre de montre destiné aux individus pour qui chaque seconde compte, songea Mr. J.L.B. Matekoni.

— Je viens de la part de Mr. Gotso, déclara-t-il. Vous lui avez téléphoné ce matin.

Mr. J.L.B. Matekoni hocha la tête. Il avait été très facile de casser le pare-brise et de répandre les fragments de verre dans la voiture, très facile d'appeler le domicile de Mr. Gotso pour expliquer que des malfaiteurs avaient endommagé la voiture. A présent, les choses se corsaient : il allait falloir mentir face à face. C'est la faute de Mma Ramotswe, pensa-t-il. Moi, je ne suis qu'un garagiste. Je n'ai jamais demandé à être mêlé à ces ridicules petits jeux de détective. Je suis trop faible, c'est tout.

Faible, il l'était... avec Mma Ramotswe. Elle pouvait le solliciter pour n'importe quoi, il répondait présent. Mr. J.L.B. Matekoni avait même un fantasme — qu'il n'avait jamais confié à quiconque et qu'il ressassait avec un plaisir mêlé de culpabilité — dans lequel il aidait Mma Ramotswe. Ils se trouvaient ensemble dans le Kalahari et un lion menaçait Mma Ramotswe. Mr. J.L.B. Matekoni se mettait alors à crier pour attirer l'attention de l'animal, qui se tournait vers lui avec un rugissement de fureur. Mma Ramotswe en profitait pour prendre la fuite, tandis que, de son côté, il tuait le lion avec un couteau de chasse. Un fantasme assez innocent, somme toute, à un détail près : Mma Ramotswe était nue.

Il eût adoré la sauver des griffes d'un lion, nue ou pas, mais là, c'était différent. Il avait dû faire une fausse déclaration à la police, ce qui lui avait donné des sueurs froides, même si les autorités n'avaient pas jugé utile d'envoyer un enquêteur sur place. Désormais, il se considérait comme un hors-la-loi, tout cela parce qu'il était faible. Il aurait dû refuser. Il aurait dû dire à Mma Ramotswe qu'elle n'était pas obligée de partir ainsi en croisade.

— Mr. Gotso est très mécontent, affirma le visiteur. Cela fait dix jours que cette voiture est chez vous, et voilà que vous nous téléphonez pour nous dire qu'elle a été fracturée. Où est votre sécurité ? C'est ce qu'a dit Mr. Gotso : où est votre sécurité ?

Mr. J.L.B. Matekoni sentit une goutte de sueur glisser le long de son dos. C'était abominable.

— Je suis vraiment désolé, Rra. Les carrossiers sont toujours débordés, vous savez. Et puis, j'ai dû commander une pièce. Dans ces voitures de luxe, on ne peut pas s'amuser à mettre n'importe quoi...

L'homme de Mr. Gotso consulta sa montre.

— D'accord, d'accord. Je sais tout cela. Maintenant, conduisez-moi à la voiture.

Mr. J.L.B. Matekoni l'entraîna hors du bureau. L'homme lui semblait moins menaçant à présent. Était-il donc si facile de désamorcer la colère ?

Ils s'arrêtèrent devant la voiture. Il avait déjà remplacé le pare-brise et rassemblé les débris contre le mur voisin. Il avait également pris soin de laisser quelques morceaux de verre sur le siège du conducteur.

Le visiteur ouvrit la portière avant et jeta un coup d'œil à l'intérieur.

— J'ai remplacé gratuitement le pare-brise, indiqua Mr. J.L.B. Matekoni. Et j'accorderai une grosse réduction sur la facture de réparation.

L'autre ne répondit rien. Il s'était penché pour ouvrir la boîte à gants. Mr. J.L.B. Matekoni le regarda faire en silence.

L'homme ressortit et s'essuya la main sur son pantalon : il s'était coupé avec un morceau de verre.

— Il manque quelque chose dans la boîte à gants. Est-ce que vous êtes au courant ?

Mr. J.L.B. Matekoni secoua la tête. Trois fois.

Son interlocuteur porta la main à sa bouche et suça la blessure.

— Mr. Gotso avait oublié qu'il avait laissé quelque chose dans la boîte à gants. Il s'en est souvenu ce matin, en apprenant que la voiture avait été fracturée. Il ne va pas être content du tout quand je lui dirai que cet objet a disparu.

Mr. J.L.B. Matekoni lui passa un chiffon.

— Je suis désolé que vous vous soyez coupé. Il y a du verre partout quand un pare-brise se casse. Partout.

L'homme jura.

— Ce n'est pas moi, le problème ! Le problème, c'est que quelqu'un a volé quelque chose qui appartient à Mr. Gotso !

Mr. J.L.B. Matekoni se gratta la tête.

— La police ne sert à rien. Elle n'est même pas venue ici pour mener l'enquête. Mais je connais quelqu'un qui peut régler le problème.

— Régler le problème ? Et qui est-ce ?

— Nous avons une dame détective en ville depuis peu. Son agence n'est pas très loin d'ici, près du mont Kgale. Vous l'avez vue ?

— Peut-être. Peut-être pas.

Mr. J.L.B. Matekoni sourit.

— C'est une femme étonnante ! Elle sait absolument tout ce qui se passe. Si je le lui demande, elle pourra découvrir qui a fait cela. Et peut-être même retrouver l'objet volé. Au fait, qu'est-ce que c'était ?

— Un objet personnel. Qui appartient à Mr. Charlie Gotso.

— Je vois.

L'homme ôta le chiffon de sa coupure et le jeta par terre.

— Bon... Alors parlez-en à cette femme, ordonna-t-il avec réticence. Demandez-lui de rapporter l'objet à Mr. Gotso.

— D'accord, répondit Mr. J.L.B. Matekoni. J'irai la voir ce soir et je suis sûr qu'elle obtiendra des résultats. En attendant, la voiture est prête. Mr. Gotso peut venir la chercher quand il veut. Je vais nettoyer les débris de verre qu'il reste.

— Ça vaut mieux ! lança le visiteur. Mr. Gotso n'aime pas se couper la main.

Mr. Gotso n'aime pas se couper la main ! Tu n'es qu'un gamin, songea Mr. J.L.B. Matekoni. Tu n'es qu'un sale gosse agressif ! Des gars comme toi, j'en ai connu beaucoup ! D'ailleurs, je me souviens de toi — ou alors, c'en était un qui te ressemblait — dans la cour de récréation de l'école publique de Mochudi. Tu provoquais les autres garçons, tu cassais tout, tu te prenais pour un dur ! Même quand le maître te donnait une correction, tu faisais tout pour refouler tes larmes, tu voulais montrer que tu étais trop brave pour pleurer.

Et ce Mr. Charlie Gotso, avec sa voiture de luxe et ses sinistres manières, c'est un gamin lui aussi. Rien d'autre qu'un petit garçon.

Cette fois, c'était décidé, Mma Ramotswe ne s'en sortirait pas aussi facilement. Elle le croyait disposé à lui obéir au doigt et à l'œil et lui demandait rarement s'il avait vraiment envie de tenir un rôle dans les stratagèmes qu'elle manigançait. Bien sûr, lui-même avait le tort de toujours tomber d'accord avec elle, là était le problème. Elle pensait pouvoir agir à sa guise parce qu'il ne lui résistait jamais. Eh bien, il allait lui montrer, cette fois ! Il allait mettre un terme à ses extravagances de détective !

Il quitta le garage, irrité, répétant en son for intérieur ce qu'il dirait en arrivant à l'agence.

Mma Ramotswe, tu m'as forcé à mentir. Tu m'as attiré dans une affaire ridicule et dangereuse qui, en plus, ne te concerne absolument pas. Moi, je suis garagiste. Mon travail, c'est de réparer les voitures. Je ne sais pas réparer les vies.

Cette dernière formule le frappa par sa force. Oui, c'était bien la différence qui existait entre eux. Elle, elle réparait des vies — comme bien des femmes d'ailleurs —, tandis que, lui, il ne s'occupait que de machines. Il lui dirait cela, et elle devrait accepter cette vérité. Il ne voulait pas détruire leur amitié, mais ne pouvait continuer à faire semblant et à tromper les gens. Jamais encore il n'avait menti, jamais, même quand la tentation avait été forte, et, à présent, voilà qu'il se trouvait empêtré dans un imbroglio de mystifications qui impliquaient la police et l'un des hommes les plus puissants du Botswana !

Elle l'accueillit à la porte de l'Agence N° 1 des Dames Détectives. Elle était occupée à vider dans la cour un reste de thé froid lorsqu'il gara la camionnette du garage.

— Alors ? lança-t-elle. Tout s'est déroulé comme prévu ?

— Mma Ramotswe, je crois vraiment que...

— Est-il venu en personne ou a-t-il envoyé l'un de ses hommes ?

— C'était l'un de ses hommes. Mais écoute, toi, tu répares les vies, moi, je ne...

— Et tu lui as dit que je pourrais lui retrouver l'objet ? A-t-il paru intéressé ?

— Moi, je répare les machines. Je ne peux pas... Tu comprends, je n'ai jamais menti. Je n'avais jamais menti auparavant, même petit. Ma langue devenait toute raide dès que j'essayais, et je n'y arrivais pas.

Mma Ramotswe secoua une dernière fois la théière.

— Tu t'es très bien débrouillé cette fois. Ce n'est pas grave de mentir, tu sais, si on le fait pour la bonne cause. Et n'est-ce pas une bonne cause que de découvrir l'assassin d'un enfant innocent ? Le mensonge est-il plus grave que le meurtre, Mr. J.L.B. Matekoni ? Qu'en penses-tu ?

— Le meurtre est plus grave, bien sûr, mais...

— Alors, nous sommes d'accord ! Tu n'avais pas pris le temps d'y réfléchir, hein ? Maintenant, tu as compris.

Elle le regarda et sourit, et il pensa : J'ai de la chance, elle me sourit. Il n'y a personne pour m'aimer d'amour dans ce monde, mais voilà quelqu'un qui m'aime bien et qui me sourit. Et elle a raison en ce qui concerne le meurtre. C'est bien plus grave qu'un mensonge.

— Viens prendre un thé à l'intérieur, proposa Mma Ramotswe. Mma Makutsi a mis de l'eau à chauffer. Nous le boirons en mettant au point la prochaine étape.

CHAPITRE XIX

Mr. Charlie Gotso, licencié ès lettres

Mr. Charlie Gotso examina Mma Ramotswe. Il aimait les grosses femmes et en avait d'ailleurs épousé une cinq ans plus tôt. Malheureusement, elle s'était révélée contestataire et difficile à vivre, de sorte qu'il avait fini par l'installer à la campagne, près de Lobatse, dans une ferme sans téléphone reliée au monde par un chemin impraticable par temps de pluie. Elle se plaignait des autres femmes qu'il voyait, avec insistance et d'une voix stridente, mais que croyait-elle? Pensait-elle sérieusement que lui, Mr. Charlie Gotso, se contenterait d'une seule femme, comme un petit fonctionnaire du gouvernement? Lui qui possédait tant d'argent et d'influence! Sans parler de sa licence ès lettres! C'était le problème, quand on épousait une femme sans éducation qui ignorait tout des cercles dans lesquels il évoluait. Il était allé à Nairobi et à Lusaka. Il savait ce que les gens pensaient dans ces endroits. Une femme intelligente, une femme titulaire d'un baccalauréat, aurait compris, elle. Mais tout de même, se rappela-t-il, cette grosse femme qu'il avait là-bas, à Lobatse, lui avait déjà donné cinq enfants, il fallait lui reconnaître ce mérite. Si seulement elle pouvait arrêter de récriminer pour ses autres femmes!

— C'est vous qui êtes envoyée par Matekoni?

Elle n'aima pas sa voix. Elle était râpeuse et paresseuse. L'homme amputait la fin des mots, comme s'il ne consentait aucun effort pour se faire comprendre. Cela provenait du mépris d'autrui, estima-t-elle. Quand on était puissant comme lui, pourquoi se donner la peine de bien communiquer avec des personnes inférieures ? Tant que les autres comprenaient ce que vous vouliez, cela suffisait.

— Mr. J.L.B. Matekoni m'a demandé de l'aider, Rra. Je suis détective.

Mr. Gotso la dévisagea, un vague sourire aux lèvres.

— J'ai vu votre agence. J'ai remarqué la pancarte en passant. Une agence de détectives pour dames, ou quelque chose comme ça...

— Pas seulement pour dames, Rra, protesta Mma Ramotswe. Nous sommes des dames détectives, mais nous travaillons aussi pour les hommes. Mr. Patel, par exemple, nous a consultées.

Le sourire s'élargit.

— Vous pensez vraiment pouvoir apprendre des choses aux hommes ?

Mma Ramotswe ne se départit pas de son calme.

— Quelquefois, oui. Cela dépend. Certains hommes sont trop imbus d'eux-mêmes pour nous écouter. A ceux-là, nous ne pouvons rien dire.

Il plissa les yeux. La remarque était ambiguë. Soit elle suggérait qu'il était imbu de lui-même, soit elle faisait allusion à d'autres hommes. Car il existait d'autres hommes, bien sûr...

— Enfin, bref, reprit-il. Vous savez que j'ai perdu un bien qui se trouvait dans ma voiture. Matekoni affirme que vous pourriez savoir qui l'a pris et me le rapporter.

Mma Ramotswe acquiesça d'une simple inclinaison de la tête.

— C'est déjà fait, dit-elle. J'ai découvert qui a fracturé votre voiture. Ce sont des jeunes. Deux garçons.

Mr. Gotso haussa les sourcils.

— Leurs noms? Dites-moi de qui il s'agit!

— Je ne peux pas, fit Mma Ramotswe.

— Je veux leur botter les fesses. Vous allez me dire qui c'est!

Mma Ramotswe releva la tête et rencontra le regard de Mr. Gotso. Pendant quelques instants, ils s'observèrent en silence. Puis elle répondit :

— Je leur ai donné ma parole que je ne les dénoncerais pas s'ils me rendaient ce qu'ils ont volé. C'était un marché.

Tout en parlant, elle avait promené son regard autour d'elle. Les bureaux de Mr. Gotso se trouvaient dans une ruelle banale. Sur le bâtiment, une grosse pancarte bleue indiquait GOTSO ENTREPRISES. L'intérieur était sobrement meublé et, sans les photographies accrochées aux murs, il eût été impossible de deviner que l'on se trouvait dans le bureau d'un personnage important. Ces photographies, toutefois, ne laissaient aucun doute sur ce dernier point : Mr. Gotso avec Moshoeshoe, le roi du Lesotho, Mr. Gotso avec Hastings Banda, Mr. Gotso avec Sobhuza II. C'était un homme dont l'influence s'étendait au-delà des frontières.

— Vous avez fait une promesse en mon nom?

— Oui. C'était le seul moyen de récupérer l'objet.

Mr. Gotso parut réfléchir. Mma Ramotswe en profita pour observer de plus près l'une des photographies. On y voyait Mr. Gotso donner un chèque à une œuvre de bienfaisance et tout le monde souriait. « Un don généreux pour une action charitable », indiquait au-dessous le titre d'un article de presse.

— Très bien, dit-il enfin. J'imagine que vous n'avez pas pu faire autrement. A présent, où est le bien en question?

Mma Ramotswe fouilla dans son sac à main et en sortit la petite bourse de cuir.

— Voilà ce qu'ils m'ont donné.

Elle la posa sur la table et il s'en saisit aussitôt.

— Ce n'est pas à moi, bien sûr. Cela appartient à l'un de mes hommes. Il m'a demandé de le lui garder. Je n'ai aucune idée de ce qu'il y a à l'intérieur.

— Du *muti*, Rra. Des remèdes de sorcier.

Le regard de Mr. Gotso se fit dur.

— Vraiment? De petits porte-bonheur pour personnes superstitieuses?

Mma Ramotswe secoua la tête.

— Non, je ne crois pas. Je pense que c'est quelque chose de très puissant. A mon avis, cela a dû coûter assez cher.

— Quelque chose de très puissant?

Il ne bougeait pas du tout la tête en parlant, remarqua-t-elle. Seules les lèvres remuaient tandis que les mots inachevés s'enchaînaient.

— Oui. C'est très bon. J'aimerais bien pouvoir me procurer un objet de ce genre. Seulement, je ne sais pas à qui m'adresser.

Cette fois, Mr. Gotso modifia sa position et son regard glissa sur la silhouette de Mma Ramotswe.

— Je peux peut-être vous aider, Mma.

Elle réfléchit un instant avant de donner sa réponse.

— J'aimerais beaucoup. Ainsi, je pourrais vous aider à mon tour.

Il avait sorti une cigarette d'une boîte posée sur le bureau et il était en train de l'allumer. Là encore, sa tête ne bougeait pas.

— Et de quelle façon pourriez-vous m'aider, Mma? Croyez-vous que je sois seul au monde?

— Oh non, vous n'êtes pas seul au monde. J'ai entendu dire qu'au contraire vous avez beaucoup d'amies. Vous n'avez pas besoin d'une femme de plus.

— Ça, c'est à moi d'en juger.

— Non. Je pense que vous êtes un homme qui aime

être renseigné. Vous devez savoir beaucoup de choses pour rester puissant. Et vous avez également besoin de *muti*, n'est-ce pas?

Il ôta la cigarette de ses lèvres et la posa sur un grand cendrier de verre.

— Vous devriez faire attention à ce que vous dites, prévint-il.

Pour la première fois, les mots avaient été articulés avec soin; il savait parler distinctement quand il le voulait.

— Les personnes qui lancent des accusations de sorcellerie finissent par le regretter. Par le regretter énormément.

— Mais ce n'est pas une accusation. Je vous ai confié que, moi-même, j'y avais recours, non? Non, ce que je disais, c'est que l'homme que vous êtes a besoin de connaître les détails des intrigues qui se nouent dans cette ville. Vous risquez de passer à côté de certaines choses si vous avez de la cire dans les oreilles.

Il reprit la cigarette et en tira une bouffée.

— Et vous estimez pouvoir me renseigner?

Mma Ramotswe hocha la tête.

— Dans mon métier, on apprend sans cesse des choses intéressantes. Par exemple, je peux vous parler de cet homme qui cherche à ouvrir une boutique juste à côté de la vôtre, dans l'African Mall. Vous le connaissez, n'est-ce pas? Eh bien, peut-être aimeriez-vous savoir ce qu'il faisait avant de venir s'installer à Gaborone? A mon avis, il n'a pas envie que cela s'ébruite.

Mr. Gotso ouvrit la bouche pour ôter un fragment de tabac collé à sa lèvre.

— Vous êtes une femme très intéressante, Mma Ramotswe. Je pense que je vous comprends parfaitement. Je vous donnerai le nom de ce sorcier si vous me fournissez cette précieuse information. Cela vous convient-il?

Mma Ramotswe fit claquer sa langue en signe d'assentiment.

— C'est parfait, répondit-elle. Ainsi, je pourrai lui demander de quoi m'aider à récolter des informations encore meilleures. Et si j'apprends autre chose, je serai heureuse de vous le faire savoir.

— Vous êtes une excellente femme, affirma Mr. Gotso en saisissant un petit bloc de papier. Je vais vous dessiner un plan. Cet homme habite dans la savane, pas très loin de Molepolole. Sa maison n'est pas facile à trouver, mais avec ce croquis, vous n'aurez aucun problème. Au fait, je vous préviens : ce n'est pas donné. Mais si vous dites que vous êtes une amie de Mr. Gotso, il vous accordera vingt pour cent de remise. Ce qui n'est pas si mal, n'est-ce pas ?

CHAPITRE XX

Problèmes médicaux

Enfin, elle détenait l'information ! Elle possédait le plan qui la conduirait jusqu'au meurtrier et elle entendait bien s'en servir. Seulement, il y avait l'agence à faire tourner et plusieurs affaires à élucider, dont une qui impliquait un médecin d'un genre particulier et un hôpital.

Mma Ramotswe ne supportait pas les hôpitaux. Elle n'aimait pas leur odeur, tremblait à la vue des patients assis sur les bancs ensoleillés, rendus muets par la souffrance, et se sentait carrément déprimée par les pyjamas de jour roses que portaient les malades atteints de tuberculose. Les hôpitaux représentaient pour elle un *memento mori* de brique et de mortier ; ils vous rappelaient de façon atroce la fin inévitable qui nous attendait tous, mais qu'à son avis il valait mieux chasser de son esprit en s'immergeant dans la réalité quotidienne.

Les docteurs échappaient toutefois à cette aversion. Depuis toujours, ils impressionnaient Mma Ramotswe. Elle les admirait, en particulier pour leur sens de la confidentialité. Cela faisait chaud au cœur de penser que l'on pouvait s'ouvrir à son médecin et que, comme un prêtre, il emporterait votre secret dans la tombe. On ne trouvait pas semblable climat de confiance chez les avocats, des vantards pour la plupart, toujours prêts à raconter une anecdote aux dépens d'un client. A la réflexion, on pouvait également inclure les comptables dans la catégorie des indiscrets, puisqu'ils passaient le plus clair de leur temps à deviser sur qui gagnait quoi. En revanche, vous pouviez faire des pieds et des mains pour soutirer une information confidentielle à un médecin, celui-ci ne desserrait pas les lèvres.

Ce qui est normal, estimait Mma Ramotswe. Je n'aimerais pas que certaines personnes apprennent que... Que quoi, en fait ? De quoi pouvait-elle avoir honte ? Elle réfléchit. Son poids n'avait rien de confidentiel et, de toute façon, elle était fière de sa constitution d'Africaine traditionnelle, à mille lieues de ces horribles créatures maigres comme des clous que l'on voyait dans les publicités. Par ailleurs, il y avait ses cors... mais enfin, eux aussi étaient plus ou moins de notoriété publique puisqu'elle portait souvent des sandales. Non, franchement, elle avait beau se creuser la cervelle, elle n'avait rien à cacher.

La constipation, bien sûr, était une autre histoire. Il serait affreux que le monde entier eût vent de problèmes de cette nature. Elle éprouvait une immense compassion envers ceux qui en souffraient et savait que ce fléau touchait un grand nombre de gens. Assez grand, sans doute, pour permettre de constituer un parti politique avec de bonnes chances d'accéder au pouvoir. Mais que ferait un tel parti une fois en place ? Rien, imaginait-elle. Il tenterait de faire passer des lois, mais sans succès.

Elle interrompit sa rêverie et songea au travail qui l'attendait. Son vieil ami, le Dr Maketsi, l'avait appelée de l'hôpital pour savoir s'il pouvait passer la voir à l'agence le soir même, après son travail. Elle avait accepté aussitôt : comme elle, le Dr Maketsi était originaire de Mochudi et, bien que de dix ans sa cadette, elle se sentait très proche de lui. Elle annula donc son rendez-vous de mise en plis chez le coiffeur et resta à l'agence après le départ de la secrétaire. Elle était plongée dans un fastidieux travail de paperasserie lorsqu'elle entendit la voix familière du Dr Maketsi : « *Ko ko !* » cria-t-il du dehors. Un instant plus tard, il pénétrait dans le bureau.

Ils échangèrent des nouvelles de leurs familles respectives et évoquèrent les multiples transformations qu'avait connues Mochudi depuis leur départ. Elle s'enquit de la santé de la tante du Dr Maketsi, une institutrice à la retraite auprès de qui la moitié du village continuait à venir prendre conseil. La vieille dame n'avait rien perdu de son dynamisme, affirma-t-il. D'ailleurs, tout le monde la pressait de se présenter aux élections législatives et elle y réfléchissait.

— Il faudrait davantage de femmes dans la vie publique de ce pays, déclara le Dr Maketsi. Les femmes ont l'esprit pratique. Contrairement à nous, les hommes.

Mma Ramotswe fut prompte à l'approuver.

— Si elles étaient plus nombreuses au pouvoir, renchérit-elle, elles ne laisseraient pas les guerres éclater. Pour nous, tous ces conflits n'ont aucun intérêt. Nous voyons la guerre pour ce qu'elle est : une affaire de corps meurtris et de mères éplorées.

Le Dr Maketsi réfléchit. Il pensait à Mme Gandhi, qui avait eu une guerre, et à Mme Golda Meir, qui en avait eu une autre, et puis, il y avait...

— Cela est vrai la plupart du temps, déclara-t-il. La plupart du temps, les femmes sont douces, mais elles savent aussi se montrer dures quand il le faut.

A présent, le Dr Maketsi souhaitait changer de sujet. Il redoutait d'entendre Mma Ramotswe lui demander s'il savait cuisiner et ne voulait surtout pas que se répète la conversation qu'il avait eue avec une jeune femme qui rentrait d'un séjour aux États-Unis. Elle lui avait dit, avec un accent de défi dans la voix, comme si leur différence d'âge ne comptait pas le moins du monde : « Si vous mangez, vous devez cuisiner. C'est aussi simple que cela. » Ces idées qui venaient d'Amérique étaient peut-être très belles en théorie, mais avaient-elles rendu les Américains plus heureux ? Il fallait imposer certaines limites à tout ce progrès, à cette évolution perturbatrice. Récemment, il avait entendu parler de maris contraints par leur épouse de changer les couches de leur bébé ! Il frémit à cette pensée : l'Afrique n'était pas prête pour cela. Il existait certains aspects des habitudes africaines ancestrales qui étaient appropriés et confortables... à condition d'être un homme. Ce qui, bien sûr, était le cas du Dr Maketsi.

— Mais ce sont là de grandes questions ! conclut-il, jovial. Ce n'est pas en parlant des potirons qu'on les fait pousser plus vite !

Sa belle-mère employait beaucoup cette formule, et bien qu'il fût en désaccord avec tout ce qu'elle disait ou presque, il se surprenait souvent à répéter mot pour mot ses paroles.

Mma Ramotswe se mit à rire.

— Alors, pourquoi es-tu venu me voir ? interrogea-t-elle. Tu veux que je te trouve une nouvelle femme, c'est ça ?

Le Dr Maketsi eut un claquement de langue faussement désapprobateur.

— C'est un vrai problème qui m'amène ici ! protesta-t-il, ironique. Pas une insignifiante histoire de femmes...

Attentive, Mma Ramotswe écouta son ami lui expliquer à quel point le problème qui le préoccupait était délicat, et elle l'assura que, comme lui, elle croyait aux vertus de la confidentialité.

— Même ma secrétaire ne saura rien de ce que tu vas me confier, affirma-t-elle.

— C'est bien, fit le Dr Maketsi. Parce que si je fais fausse route et que quelqu'un vient à l'apprendre, je me retrouverai dans une situation très embarrassante... et tout l'hôpital avec moi ! Je ne tiens pas à recevoir la visite de mon ministre.

— Je comprends, assura Mma Ramotswe.

Sa curiosité était piquée au vif et elle brûlait d'en savoir plus sur ce problème qui troublait son ami et s'annonçait savoureux. Ces derniers temps, elle n'avait traité que des affaires inintéressantes, dont une qu'elle avait même jugée avilissante : elle avait dû se lancer à la recherche du chien d'un homme riche. Un chien ! L'unique dame détective du pays ne devrait pas avoir à s'abaisser à un tel niveau, et Mma Ramotswe eût sans doute refusé si elle n'avait pas eu un besoin urgent d'argent. Le moteur de la petite fourgonnette blanche avait en effet commencé à produire un cliquetis inquiétant et Mr. J.L.B. Matckoni, sollicité pour étudier le problème, avait pris des gants pour lui annoncer la nouvelle : les réparations coûteraient cher. Pour clore le tout, le chien en question s'était révélé méchant et malodorant. Lorsqu'elle l'avait enfin retrouvé, traîné en laisse par la bande de garnements qui l'avaient volé, l'animal avait témoigné sa reconnaissance à sa libératrice en la mordant à la cheville !

— J'ai un problème avec l'un de nos jeunes médecins, commença le Dr Maketsi. Il s'appelle Komoti. Il est nigérian.

— Je vois.

— Je sais qu'il y a des gens qui se méfient des Nigérians, ajouta-t-il.

— Il me semble, oui, que certains s'en méfient, acquiesça Mma Ramotswe en croisant le regard du médecin, avant de s'en détourner vivement avec un sentiment proche de la culpabilité.

Le Dr Maketsi termina son thé rouge et reposa la tasse sur la table.

— Il faut que je te parle un peu de notre Dr Komoti, reprit-il. A commencer par le jour où il est venu passer l'entretien d'embauche. C'était à moi de l'interroger, mais je dois admettre qu'il s'agissait d'une formalité. L'équipe médicale avait vraiment besoin de renfort et il nous fallait une personne compétente pour prêter main-forte aux urgences. Nous ne pouvions pas faire les difficiles, tu comprends. Enfin, celui-là semblait avoir un CV correct et il avait apporté des références. Entre autres, il avait exercé plusieurs années à Nairobi. J'ai appelé l'hôpital en question, qui m'a confirmé qu'il travaillait très bien. Je l'ai donc engagé.

« Il a commencé chez nous il y a six mois. Aux urgences, il n'avait pas le temps de s'ennuyer. Tu dois savoir ce que c'est, dans ce service... Accidents de la route, bagarres, et puis les habituels bobos du vendredi soir. La plupart du temps, le travail se résume à nettoyer les plaies, stopper les hémorragies, ressusciter les morts parfois... bref, ce genre de choses.

« Tout semblait bien se passer, mais alors que le Dr Komoti était là depuis trois semaines, le médecin consultant a souhaité avoir une conversation avec moi. Il m'a dit qu'il trouvait le nouveau docteur un peu maladroit et que celui-ci faisait parfois des choses surprenantes. Entre autres, il avait suturé plusieurs plaies de façon désastreuse, de sorte qu'il avait fallu tout reprendre derrière lui.

« D'autres fois, en revanche, son travail était exemplaire. Par exemple, il y a deux semaines, une femme est arrivée avec un pneumothorax. C'est un problème assez grave. De l'air s'introduit dans l'espace inter-pulmonaire, si bien que les poumons se dégonflent comme des ballons crevés. Quand cela se produit, il faut faire sortir l'air le plus rapidement possible, afin de permettre aux poumons de se déployer de nouveau.

« Pour un médecin inexpérimenté, ce n'est pas facile du tout. Il faut savoir exactement où poser le drain. Si l'on se trompe, on risque de percer au niveau du cœur ou de causer toutes sortes d'autres lésions. Si l'on manque de rapidité, le patient peut y rester. J'ai failli en perdre un de cette manière il y a quelques années. J'ai eu la suée de ma vie, ce jour-là.

« Le Dr Komoti, lui, s'en est parfaitement tiré et il ne fait aucun doute qu'il a sauvé la vie de sa patiente. Le médecin consultant est arrivé vers la fin de l'opération et, comme tout se passait bien, il l'a laissé achever. Il a été impressionné et m'en a parlé. Mais à côté de cela, le même Dr Komoti avait laissé passer un cas évident de dilatation de la rate la veille.

— Il est irrégulier, conclut Mma Ramotswe.

— Exactement. Un jour, il travaille très bien et, le lendemain, il manque de tuer un malheureux patient.

Mma Ramotswe réfléchit un instant. Un article du *Star* lui revint en mémoire.

— L'autre jour, j'ai lu dans le journal l'histoire d'un faux médecin à Johannesburg, déclara-t-elle. Il pratiquait depuis dix ans sans que personne soupçonne qu'il n'avait aucune qualification. Et puis, un patient a remarqué quelque chose par hasard et la supercherie a été dévoilée.

— C'est extraordinaire, répondit le Dr Maketsi. On lit ces histoires-là de temps en temps. Souvent, ces individus parviennent à tromper leur monde très longtemps... parfois des années.

— As-tu vérifié ses qualifications ? interrogea Mma Ramotswe. Il n'est pas difficile de fabriquer de faux diplômes de nos jours, avec les photocopieuses et les imprimantes laser. Tout le monde peut le faire. Peut-être n'est-il pas du tout médecin. Il a pu être gardien dans un hôpital, ou quelque chose comme cela.

Le Dr Maketsi secoua la tête.

— Nous avons tout vérifié, dit-il. Nous nous sommes renseignés à la faculté de médecine où il a suivi ses études, au Nigeria — et crois-moi, il a fallu batailler ! Nous avons également contacté le General Medical Council de Grande-Bretagne, où il a occupé un poste de chef de clinique pendant deux ans. Nous avons même réclamé une photographie de lui à Nairobi : il s'agit du même homme. Je suis donc à peu près sûr qu'il est bien celui qu'il prétend être.

— Et ne pourrais-tu pas le tester ? s'enquit Mma Ramotswe. Évaluer ses connaissances en lui posant des questions pièges ?

Le Dr Maketsi sourit.

— Je l'ai fait. Je me suis arrangé pour discuter avec lui à une ou deux reprises, quand il y avait des cas difficiles. La première fois, il s'en est très bien tiré et a répondu de façon sensée. Il savait de quoi il parlait. Mais la seconde, il s'est montré évasif, m'a dit qu'il voulait réfléchir à la question. Cela m'a ennuyé, et je lui ai donc parlé du patient dont nous avions discuté la fois précédente. Il a paru désarçonné et s'est mis à bafouiller quelque chose d'incohérent. On aurait dit qu'il avait oublié tout ce qu'il m'avait dit trois jours plus tôt.

Mma Ramotswe leva les yeux au plafond. Elle savait ce qu'était l'amnésie. Son pauvre papa était devenu amnésique à la fin de sa vie et, par moments, il ne reconnaissait même plus sa fille. Ce symptôme était compréhensible chez des personnes âgées, mais pas chez un jeune médecin. A moins qu'il ne fût malade, bien sûr, et, dans ce cas, sa mémoire pouvait être affectée.

— Sur le plan mental, tout est normal chez lui, assura le Dr Maketsi, comme s'il prévoyait la question. En tout cas, d'après ce que je sais. Il ne s'agit ni d'un cas de démence présénile ni d'une affection de ce genre. Ce qui m'inquiète plutôt, c'est l'idée qu'il puisse se droguer. Cela me paraît possible, et cela expliquerait que, la moitié du temps, il n'a pas toute sa tête lorsqu'il soigne les patients.

Le Dr Maketsi s'interrompit. Il avait lancé sa bombe et s'adossait maintenant à son siège, comme si les implications de son discours imposaient le silence. C'était aussi grave que permettre à un médecin sans diplôme d'exercer dans un hôpital. Si le ministre apprenait que l'on confiait des patients à un praticien qui se droguait, il risquait de mettre en doute l'efficacité de la gestion de l'hôpital.

Il imaginait déjà la conversation : « Voyons, docteur Maketsi, comment se fait-il que vous ne vous soyez pas aperçu, en observant son comportement, que cet homme était drogué ? Vous autres médecins, vous êtes pourtant bien placés pour repérer ce genre de chose, non ? S'il m'apparaît évident à moi, quand je me promène dans la rue, que tel ou tel passant vient de fumer du *dagga*[1], cela doit l'être aussi, je suppose, pour quelqu'un comme vous. A moins que je ne me fasse des illusions sur les compétences des médecins... »

— Je comprends ton souci, dit Mma Ramotswe. Mais je ne suis pas certaine de pouvoir faire quelque chose. Je ne connais rien au milieu de la drogue. C'est à la police de traiter ces affaires-là.

Le Dr Maketsi chassa cette perspective d'un geste.

— Ne me parle pas de la police ! protesta-t-il. Ces gens-là ne savent pas tenir leur langue. Si je les sollicite, ils traiteront d'emblée le problème comme une affaire de stupéfiants et feront irruption chez le Dr Komoti pour fouiller sa maison. Ensuite, un témoin s'en ira raconter ce qu'il a vu et, en un clin d'œil, le bruit que ce médecin est un drogué circulera dans toute la ville.

---

1. Marijuana. *(N.d.T.)*

Il s'interrompit, soucieux de bien faire comprendre la subtilité de son dilemme.

— Et si ce n'est pas vrai, hein? reprit-il. Si je me trompe? J'aurai saboté sa réputation sans raison. Ce garçon se montre peut-être incompétent par moments, mais ce n'est pas une raison pour le détruire.

— Mais si nous découvrons qu'il a bel et bien consommé de la drogue? s'enquit Mma Ramotswe. Je ne vois pas trop comment nous pourrions nous y prendre, mais imaginons que nous y parvenions? Que se passera-t-il alors? Tu le renverras?

Le Dr Maketsi secoua vigoureusement la tête.

— Nous n'envisageons pas les problèmes de drogue dans ces termes. Nous ne cherchons pas à juger la conduite des individus. Si j'apprends qu'il se drogue, je traiterai l'affaire sous l'angle médical et je m'efforcerai d'aider cet homme. Je m'appliquerai à décortiquer le problème.

— Que veux-tu « décortiquer » avec ce genre d'individus? objecta Mma Ramotswe. Fumer du *dagga* est une chose, consommer des comprimés et tout le reste en est une autre. Montre-moi un ancien drogué qui vit normalement aujourd'hui. Juste un. Cela existe peut-être, mais moi, je n'en ai jamais vu.

Le Dr Maketsi haussa les épaules.

— Je sais que ces gens-là peuvent être manipulateurs, assura-t-il. Mais détrompe-toi, certains s'en sortent. Je peux te montrer des chiffres, si tu veux.

— Bon, peut-être... mais peut-être pas, dit Mma Ramotswe. Maintenant, la question est : qu'attends-tu de moi?

— Que tu éclaircisses ce mystère. Surveille cet homme quelques jours. Détermine si, oui ou non, il est impliqué dans un trafic de drogue. Si la réponse est oui, dis-moi s'il fournit d'autres personnes, pendant que tu y es. Parce que cela nous poserait un nouveau problème. Nous surveillons de près le stock de médicaments à l'hôpital, mais il arrive que des produits disparaissent, et la dernière chose que nous voudrions, c'est que l'un de nos médecins approvisionne des drogués. Nous ne pouvons tolérer cela.

— Dans ce cas, tu le renverras ? insista Mma Ramotswe. Tu ne tenteras plus de l'aider ?

Le Dr Maketsi se mit à rire.

— Je le flanquerai à la porte sans état d'âme.

— Parfait, dit Mma Ramotswe. Voilà qui me paraît légitime. A présent, parlons de mes honoraires.

Le Dr Maketsi blêmit.

— Je me suis interrogé à ce sujet. C'est une affaire si délicate... Je ne vois pas comment demander à l'hôpital de payer.

Mma Ramotswe hocha la tête.

— Et tu as pensé qu'en tant que vieille amie...

— Oui, murmura le Dr Maketsi. J'ai pensé qu'en tant que vieille amie tu te souviendrais peut-être que du temps de la maladie de ton papa, à la fin...

Mma Ramotswe n'avait pas oublié. Le Dr Maketsi était venu chez eux sans faillir, tous les soirs, pendant trois semaines. Pour finir, il avait procuré à son papa une chambre individuelle à l'hôpital, gratuitement.

— Je m'en souviens très bien, dit-elle. Je n'ai parlé d'honoraires que pour te dire que tu n'aurais rien à payer.

Elle avait en main toutes les données nécessaires pour commencer son enquête : l'adresse du Dr Komoti sur Kaunda Way, sa photographie, fournie par le Dr Maketsi, et le numéro d'immatriculation du break vert qu'il conduisait. Elle connaissait également le numéro de téléphone du médecin et celui de sa boîte postale à la poste centrale — bien qu'elle ne vît pas très bien dans quelles circonstances ces derniers pourraient lui être utiles. Il ne lui restait plus désormais qu'à le filer pour en apprendre le maximum sur le Dr Komoti, dans le laps de temps le plus bref possible.

Le Dr Maketsi avait pensé à procurer à Mma Ramotswe une copie du tableau de service des urgences pour les quatre prochains mois. Ainsi Mma Ramotswe connaissait-elle l'emploi du temps précis du médecin et les nuits où il était de garde. Cela lui éviterait de perdre son temps à le guetter en vain, postée dans la petite fourgonnette blanche.

Elle se mit au travail deux jours plus tard. En fin d'après-midi, lorsque le Dr Komoti quitta le parking de l'hôpital, elle était à son poste. Elle le suivit discrètement jusqu'au centre-ville, se gara à quelques voitures du break et attendit que le médecin se fût éloigné pour descendre à son tour. Il entra dans deux ou trois magasins, puis acheta un journal à la Grande Librairie. Il retourna ensuite à sa voiture, rentra directement chez lui et y resta — irréprochablement, estima-t-elle — jusqu'au moment où les lumières s'éteignirent, un peu avant dix heures. Rien n'était plus ennuyeux que de rester assise à ne rien faire dans la petite fourgonnette blanche, mais Mma Ramotswe en avait l'habitude et elle ne se plaignait jamais une fois qu'elle avait accepté une affaire. D'ailleurs, elle eût été prête à demeurer tout un mois dans la fourgonnette si le Dr Maketsi le lui avait demandé : c'était la moindre des choses, après tout ce qu'il avait fait pour son vieux Papa.

Rien ne se produisit ce soir-là, ni le lendemain. Mma Ramotswe commençait à se demander s'il arrivait au Dr Komoti de modifier ses habitudes lorsque, tout à coup, les choses changèrent. On était vendredi après-midi et Mma Ramotswe s'apprêtait à suivre le Dr Komoti sur le trajet du retour. Le médecin avait quitté l'hôpital avec un peu de retard et il était sorti par la porte des urgences, un stéthoscope glissé dans la poche de sa blouse blanche.

Mma Ramotswe quitta à sa suite l'enceinte de l'hôpital, certaine qu'il n'avait pas remarqué la petite fourgonnette blanche. Elle s'apprêtait à rouler derrière lui en direction de la ville et jusqu'à la Grande Librairie, où il achetait chaque soir son journal, lorsqu'elle s'aperçut qu'il partait dans l'autre sens. L'idée qu'il allait enfin se passer quelque chose réjouit Mma Ramotswe et elle se concentra sur la conduite, afin de ne pas le perdre dans la circulation. Les rues étaient plus encombrées que d'ordinaire, car on était le dernier vendredi du mois, jour de paie. Ce soir-là, il y aurait plus d'accidents que les autres soirs, et le médecin qui remplacerait le Dr Komoti aux urgences n'aurait pas le loisir de chômer, entre les points de suture à faire aux ivrognes et les morceaux de pare-brise à extraire des accidentés de la route.

Avec surprise, Mma Ramotswe vit le Dr Komoti prendre la direction de Lobatse. C'était intéressant. Si cet homme était impliqué dans des affaires de drogue, utiliser Lobatse comme base pour son trafic semblait judicieux. La ville était toute proche de la frontière : de là, rien de plus facile que de passer des produits en Afrique du Sud, ou de prendre livraison de colis en provenance de ce pays. Quelle que fût l'explication, cela faisait du médecin un sujet de filature intéressant.

Ils roulèrent un bon moment. La petite fourgonnette blanche peinait à suivre la voiture plus puissante du Dr Komoti, mais Mma Ramotswe ne craignait pas d'être remarquée : la circulation était dense et il n'y avait aucune raison que le Dr Komoti se préoccupe particulièrement de la petite fourgonnette blanche. Une fois à Lobatse, bien sûr, il faudrait redoubler de prudence.

Lorsqu'elle constata qu'il ne s'arrêtait pas à

Lobatse, Mma Ramotswe commença à se faire du souci. S'il traversait la ville, peut-être entendait-il gagner un petit village des environs. Une telle éventualité restait cependant peu plausible, car il n'y avait pas grand-chose après Lobatse, en tout cas, pas de quoi intéresser un homme comme le Dr Komoti. La seule autre possibilité, dès lors, était la frontière, à quelques kilomètres à peine. Oui ! Le Dr Komoti allait franchir la frontière, elle en était sûre. Il se rendait à Mafikeng.

Quand elle eut la certitude que la destination du Dr Komoti se situait hors du pays, Mma Ramotswe ressentit une irritation intense liée à sa propre stupidité : elle n'avait pas son passeport sur elle ! Le Dr Komoti allait passer la frontière et elle devrait demeurer au Botswana ! Une fois de l'autre côté, il pourrait agir à sa guise — à n'en pas douter, il ne s'en priverait pas — et elle ne saurait rien.

Elle le regarda s'arrêter au poste-frontière et fit demi-tour, comme un chasseur qui a suivi sa proie jusqu'à la limite de la réserve et se trouve contraint d'abandonner. Le Dr Komoti resterait absent tout le week-end, c'était sûr, et elle continuerait d'ignorer à quoi il occupait son temps libre. La semaine prochaine, il faudrait reprendre la pénible observation nocturne de sa maison, avec la certitude frustrante que les activités illégales avaient eu lieu le week-end précédent. Et tout en guettant vainement, elle songerait aux enquêtes qui attendaient... des enquêtes qui eussent rapporté de l'argent, elles, et permis de régler la facture de réparation de la fourgonnette !

Lorsqu'elle arriva à Gaborone, Mma Ramotswe était de fort méchante humeur. Elle se coucha tôt, mais la rage l'habitait toujours le lendemain matin lorsqu'elle se rendit à l'African Mall. Comme chaque samedi, elle sirota un café sur la véranda de l'hôtel *Président*, et elle prit plaisir à bavarder avec son amie Grace Gakatsla.

Grace possédait une boutique de prêt-à-porter à Broadhurst et elle savait distraire Mma Ramotswe avec les récits des caprices de ses clientes. L'une d'elles, épouse d'un ministre du gouvernement, avait récemment acheté une robe un vendredi, pour la rapporter le lundi suivant sous prétexte qu'après réflexion le vêtement ne lui allait pas si bien que cela. Le samedi soir toutefois, Grace avait été invitée à un mariage, où elle avait vu sa cliente vêtue de la robe, qui lui allait à ravir.

— Bien sûr, je ne pouvais pas lui dire en face qu'elle mentait et que je ne faisais pas de location de vêtements, expliqua Grace. Je lui ai donc demandé si elle s'était bien amusée au mariage. Elle a souri et a répondu que oui. J'ai alors dit que, moi aussi, j'avais beaucoup apprécié la soirée. De toute évidence, elle ne m'avait pas vue à la fête. Elle a tout à coup cessé de sourire et déclaré que, finalement, elle allait peut-être réfléchir encore un peu pour la robe...

— Cette femme-là est un hérisson, commenta Mma Ramotswe.

— Non, une hyène, rétorqua Grace. Ou plutôt un fourmilier, avec son grand nez !

Les rires s'étaient éteints et Grace avait disparu, laissant le champ libre à la morosité. Mma Ramotswe songea que, décidément, elle allait passer le week-end entier dans cet état. Elle se demanda même si sa mauvaise humeur ne durerait pas tant que le mystère Komoti ne serait pas résolu... à supposer qu'il le fût un jour.

Elle régla l'addition et sortit. Ce fut en descendant les marches de l'hôtel qu'elle aperçut le Dr Komoti dans le Mall.

Mma Ramotswe se figea. Le Dr Komoti était passé en Afrique du Sud la veille au soir, juste avant sept heures. Or, le poste-frontière fermait à huit heures, ce qui signifiait qu'il n'avait pas eu le temps d'atteindre Mafikeng, située à quarante minutes, et d'être de retour à temps pour repasser la frontière. Il était donc resté toute la nuit là-bas, mais était reparti ce matin-là à la première heure.

Une fois remise de sa surprise, elle songea qu'elle pouvait faire bon usage de cette opportunité de le suivre pour voir ce qu'il faisait. Il était entré dans la quincaillerie et elle l'attendit dehors, contemplant machinalement le contenu d'une vitrine. Lorsqu'il ressortit, il gagna le parking et monta en voiture.

Le Dr Komoti passa la journée chez lui. A six heures du soir, il se rendit à l'*Hôtel du Soleil* pour prendre un verre avec deux hommes, Nigérians comme lui. Mma Ramotswe savait que l'un d'eux travaillait dans un cabinet d'experts-comptables, tandis que l'autre était instituteur dans une école dont elle avait oublié le nom. Rien, dans cette rencontre, ne paraissait suspect. Sans doute y avait-il en ville, au même moment, de multiples petits groupes de gens de ce type qui prenaient un verre, poussés les uns vers les autres dans cette intimité artificielle de la vie d'expatriés par le besoin de parler du pays.

Il resta une heure, puis s'en alla. Sur tout le week-end, la vie sociale du Dr Komoti se limita à cette rencontre. Le dimanche soir, Mma Ramotswe décida qu'elle irait trouver le Dr Maketsi au cours de la semaine pour lui expliquer que, malheureusement, rien n'indiquait que le Dr Komoti eût un quelconque rapport avec le milieu de la drogue et qu'il semblait être, au contraire, un modèle de sobriété et de respectabilité. Il n'y avait même pas trace de vie amoureuse dans son existence, à moins qu'il hébergeât chez lui des femmes qui restaient terrées sans jamais sortir. Personne ne s'était approché de la maison tandis qu'elle montait la garde, personne n'en était sorti non plus, hormis le Dr Komoti lui-même. Il était, pour tout dire, un individu assez ennuyeux à observer.

Restait toutefois la question de Mafikeng et du voyage éclair du vendredi soir. S'il était allé là-bas pour faire des courses, comme beaucoup de gens en avaient l'habitude, il y serait au moins resté une partie du samedi matin, ce qui n'était pas le cas. Ce qu'il avait à accomplir, il l'avait réglé le vendredi soir. Peut-être avait-il retrouvé une femme, une de ces Sud-Africaines tapageuses que les hommes, bizarrement, semblaient apprécier ? C'était l'explication la plus simple, la plus probable aussi. Mais pourquoi ne pas être resté avec elle le samedi, pour l'emmener déjeuner au restaurant de l'hôtel *Mmbabatho*, par exemple ? Il y avait anguille sous roche et Mma Ramotswe se dit qu'elle le suivrait peut-être à Mafikeng le week-end suivant, s'il y allait, pour comprendre. S'il n'y avait rien à apprendre, elle ferait quelques courses et repartirait le samedi après-midi. Elle prévoyait de s'y rendre un jour ou l'autre de toute façon, alors autant faire d'une pierre deux coups.

Le Dr Komoti se montra conciliant. Le vendredi suivant, il quitta l'hôpital à l'heure et partit dans la direction de Lobatse, suivi à distance par Mma Ramotswe dans sa fourgonnette. Le passage de la frontière se révéla délicat : Mma Ramotswe devait faire en sorte de ne pas se retrouver trop près du médecin, tout en veillant à ne pas le perdre une fois passée la douane. Pendant un bon moment, elle craignit d'être retardée en voyant le fonctionnaire tourner à gestes lents les pages de son passeport et examiner un à un les tampons qui témoignaient de quelques escapades à Johannesburg et à Mafikeng.

— Il est écrit ici, à la rubrique profession, que vous

êtes détective, lui dit-il d'un ton revêche. Comment une femme peut-elle être détective ?

Mma Ramotswe lui décocha un regard noir. Si elle prolongeait l'entretien, elle risquait de perdre le Dr Komoti, dont un autre douanier était déjà en train de tamponner le passeport. Dans peu de temps, le médecin aurait passé la frontière et la petite fourgonnette blanche n'aurait plus aucune chance de le rattraper.

— Il y a beaucoup de femmes détectives, répondit Mma Ramotswe avec dignité. Vous n'avez pas lu Agatha Christie ?

L'homme leva les yeux du passeport, courroucé.

— Seriez-vous en train d'insinuer que je n'ai pas d'instruction ? grogna-t-il. C'est ça que vous voulez dire ? Vous croyez que je n'ai pas lu ce Mr. Christie ?

— Pas du tout, protesta Mma Ramotswe. Vous autres, les douaniers, vous êtes à la fois instruits et efficaces. Hier encore, j'étais chez votre ministre et je lui disais justement que je trouvais les gens du service d'immigration très courtois et très efficients. Nous en avons beaucoup parlé au dîner.

Son interlocuteur se figea. L'espace d'un instant, il parut indécis, puis il saisit son tampon de caoutchouc et visa le passeport.

— Merci, Mma, déclara-t-il. Vous pouvez passer.

Mma Ramotswe n'aimait pas mentir, mais cela se révélait parfois nécessaire, surtout face à des gens qui occupaient des fonctions dépassant leurs compétences. Enjoliver ainsi la vérité — elle connaissait le ministre, certes, mais de très loin — permettait de remettre certaines personnes à leur place, souvent pour leur bien. Peut-être qu'à l'avenir ce fonctionnaire y réfléchirait à deux fois avant de persécuter une femme sans raison valable.

Elle remonta en voiture et l'homme lui adressa un

salut quand elle franchit la barrière. Le Dr Komoti avait disparu et elle poussa au maximum le moteur de la fourgonnette pour le rattraper. Heureusement, il ne roulait pas très vite ; elle ralentit lorsqu'elle l'aperçut. Ils passèrent devant les vestiges de la capitale de Mangope et de la république fantoche du Bophuthatswana. Elle vit le stade, où le président avait été séquestré par ses propres troupes lorsque celles-ci s'étaient révoltées. Elle vit les bureaux du gouvernement qui administrait un État absurdement fragmenté sur ordre de ses maîtres de Pretoria. Quel gâchis ! pensa-t-elle. Quelle folie ! Et le moment venu, tout s'était évanoui, comme l'illusion que ce projet avait toujours été. Cela faisait partie de la grande farce que constituaient l'apartheid et le rêve monstrueux de Verwoerd. Tant de douleur, tant de souffrances prolongées, à ajouter par l'histoire à tous les tourments de l'Afrique...

Le Dr Komoti bifurqua soudain à droite. Ils avaient atteint la périphérie de Mafikeng et se trouvaient dans une banlieue proprette aux rues rectilignes et aux maisons entourées de jardins soigneusement clos. Ce fut dans l'allée d'une de ces maisons que s'engagea la voiture du médecin, obligeant Mma Ramotswe à continuer tout droit pour éviter d'éveiller les soupçons. Elle compta le nombre de résidences qu'elle dépassait — sept — et gara la fourgonnette sous un arbre.

Elle repéra ce qu'on avait coutume d'appeler un chemin sanitaire, qui longeait l'arrière des maisons, et, après avoir quitté la voiture, elle en gagna l'extrémité. Si ses calculs étaient bons, le Dr Komoti était entré dans la huitième maison — ou la septième, si l'on omettait celle devant laquelle elle avait dû passer pour atteindre le début du chemin.

Elle s'immobilisa donc sur le sentier, à hauteur de la huitième maison, et inspecta le jardin. On avait dû l'entretenir autrefois, il y avait bien longtemps.

Aujourd'hui, ce n'était plus qu'un enchevêtrement de végétation — des mûriers, des massifs de bougainvillées incontrôlées qui atteignaient des proportions gigantesques ct lançaient leurs longues tiges de fleurs mauves vers le ciel, des papayers auxquels pendaient des fruits trop mûrs. Ce devait être le paradis des serpents, songea-t-elle : peut-être y trouvait-on des mambas tapis dans l'herbe haute, ou des *boomslangs*[1] qui, dissimulés dans les feuillages, guettaient le moment où quelqu'un serait assez fou pour s'aventurer dans cette jungle.

Elle poussa la grille avec précaution. Celle-ci n'avait pas servi depuis longtemps et les gonds émirent un fort grincement. Cela n'avait guère d'importance : les sons ne pouvaient pas franchir l'épaisse barrière de végétation pour atteindre la maison, qui s'élevait à une centaine de mètres. A vrai dire, il était presque impossible de distinguer la bâtisse à travers la verdure, de sorte que Mma Ramotswe se sentit en sécurité, au moins à l'abri des regards, sinon des reptiles.

Elle progressa à pas prudents, prête à entendre siffler un serpent chaque fois qu'elle posait le pied par terre. Rien ne bougea toutefois, et elle se retrouva bientôt accroupie sous un mûrier, n'osant approcher davantage. De là, elle avait une bonne vision sur la porte de derrière et la fenêtre de la cuisine, qui était ouverte. Cependant, elle ne distinguait pas l'intérieur, car c'était une vieille maison coloniale, aux pièces fraîches et sombres. Il était bien plus facile d'épier les habitants de constructions modernes, car les architectes d'aujourd'hui avaient oublié l'existence du soleil et ils installaient les gens dans des bocaux dont le monde entier pouvait contempler l'intérieur par les larges baies vitrées, si l'envie lui en prenait.

---

1. Serpents arboricoles. (*N.d.T.*)

Que faire à présent? Elle pouvait rester là, dans l'espoir que quelqu'un sortirait par la porte de derrière, mais pourquoi s'y risquerait-on? Et si cela arrivait, que ferait-elle?

Soudain, une fenêtre s'ouvrit à l'arrière de la maison et un homme se pencha au-dehors. C'était le Dr Komoti.

— Hé, vous! Vous, là-bas! Oui, vous, la grosse dame! Qu'est-ce que vous faites ici, assise sous notre mûrier?

Mma Ramotswe ressentit le besoin impérieux de regarder derrière elle, par-dessus son épaule, comme s'il pouvait y avoir une autre personne sous l'arbre. Elle se sentait comme une écolière surprise en train de chaparder des fruits ou de commettre quelque acte répréhensible. Il n'y avait rien à faire : il fallait avouer.

Elle se leva et sortit de l'ombre.

— Il fait chaud! cria-t-elle. Pourriez-vous me donner un verre d'eau?

La fenêtre se referma et, quelques instants plus tard, la porte de la cuisine s'ouvrit. Le Dr Komoti sortit sur le seuil. Elle remarqua qu'il portait des vêtements très différents de ceux qu'elle lui avait vus à Gaborone. Il tenait une tasse, qu'il lui tendit. Mma Ramotswe s'en saisit et but avec avidité. Elle avait soif, en fait, et l'eau était bienvenue, malgré la saleté du récipient.

— Que faites-vous dans notre jardin? interrogea le Dr Komoti sans animosité. Êtes-vous une voleuse?

Mma Ramotswe prit un air peiné.

— Non, répondit-elle.

Le Dr Komoti la dévisagea d'un regard froid.

— Eh bien alors, si vous n'êtes pas une voleuse, qu'est-ce que vous voulez? Vous cherchez du travail? Nous avons déjà une femme qui vient faire la cuisine dans cette maison. Nous n'avons besoin de personne d'autre.

Mma Ramotswe allait articuler une réponse lorsqu'un autre individu se profila derrière le Dr Komoti et la regarda par-dessus l'épaule de celui-ci. C'était le Dr Komoti.

— Que se passe-t-il ? demanda le second Dr Komoti. Que veut cette femme ?

— Je l'ai vue dans le jardin, expliqua le premier Dr Komoti. Elle dit qu'elle n'est pas une voleuse.

— Et c'est la vérité, intervint Mma Ramotswe avec indignation. Je ne faisais que regarder cette maison.

Les deux hommes parurent perplexes.

— Mais pourquoi ? interrogea l'un d'eux. Pour quelle raison venez-vous regarder cette maison ? Elle n'a rien de particulier et elle n'est pas à vendre, de toute façon.

Mma Ramotswe rejeta la tête en arrière et éclata de rire.

— Oh, je ne suis pas venue pour l'acheter ! s'esclaffa-t-elle. C'est juste que j'habitais ici quand j'étais petite. Il y avait des Boers qui y vivaient, un certain Mr. van der Heever et sa femme. Ma mère était leur cuisinière, vous comprenez, et nous logions dans le quartier des domestiques, là-bas, au fond du jardin. Mon père s'occupait du jardin...

Elle s'interrompit, jetant aux deux hommes un regard de reproche.

— Il était plus beau en ce temps-là, ajouta-t-elle. Mieux entretenu.

— Ça, je n'en doute pas ! s'exclama l'un des hommes. Nous aimerions bien le domestiquer un de ces jours. Seulement, nous travaillons beaucoup. Nous sommes tous les deux médecins, vous comprenez, et nous passons beaucoup de temps à l'hôpital.

— Oh ! fit Mma Ramotswe, s'efforçant de paraître révérencieuse. Vous travaillez à l'hôpital d'à côté ?

— Non, répondit le premier médecin. J'ai un cabinet en ville, près de la gare. Mon frère, lui...

— Moi, je travaille plus loin, là-bas, compléta l'autre en désignant vaguement la direction du nord. Enfin, vous pouvez regarder le jardin autant que vous voudrez, ma mère. Nous allons vous préparer du thé.

— Oh ! s'exclama Mma Ramotswe. C'est très gentil à vous ! Merci.

Ce fut un réel soulagement de quitter ce jardin, ses sinistres broussailles et son air d'abandon. Pendant quelques minutes encore, Mma Ramotswe fit mine d'examiner les arbres et les massifs — ou du moins ce qu'on pouvait en distinguer — puis, après avoir remercié ses hôtes pour le thé, elle s'éloigna sur la route. Troublée, elle ressassait la curieuse information qu'elle venait d'obtenir. Il existait deux Dr Komoti, ce qui, en soi, n'avait rien d'exceptionnel. Pourtant, elle était sûre que cette donnée représentait l'essence du problème. Bien sûr, rien n'empêchait des jumeaux de suivre tous deux des études de médecine : les jumeaux menaient souvent des vies parallèles, le second allant parfois jusqu'à épouser la sœur de la femme du premier. Cependant, il y avait là quelque chose de particulièrement significatif et Mma Ramotswe était sûre d'avoir sous les yeux l'explication aveuglante du problème. Encore fallait-il parvenir à la discerner...

Elle remonta dans sa petite fourgonnette blanche et se mit en route vers le centre-ville. L'un des Dr Komoti avait dit posséder un cabinet près de la gare et elle décida d'aller y jeter un coup d'œil... même si elle ne comptait guère sur une plaque de cuivre pour lui révéler quoi que ce fût.

Elle connaissait la gare. C'était un lieu où elle aimait flâner, car il lui rappelait l'Afrique d'autrefois, les journées de compagnonnage inconfortable sur les banquettes de trains bondés, les lentes traversées des plaines, la canne à sucre que l'on mangeait pour que le temps passe plus vite, en recrachant les morceaux d'écorce par la vitre ouverte. Ici, on retrouvait tout cela — au moins en partie — chaque fois qu'un train en provenance du Cap passait au ralenti le long du quai, sur son trajet à travers le Botswana vers Bulawayo. Ici, on voyait encore, aux abords de la gare, des magasins indiens qui vendaient à prix dérisoires des couvertures et des chapeaux d'homme ornés de plumes de couleurs vives plantées dans le ruban.

Mma Ramotswe ne voulait pas que l'Afrique change. Elle ne voulait pas voir son peuple devenir comme les autres, sans âme, égoïste, oublieux de ce que signifiait être africain ou, pis encore, honteux de l'Afrique. Elle-même ne serait jamais rien d'autre qu'Africaine, jamais, même si un jour quelqu'un venait la voir en disant : « Tiens, voici une pilule, une invention révolutionnaire. Avale-la et tu deviendras américaine. » Elle refuserait. Jamais ! Non, merci.

Elle arrêta la fourgonnette blanche devant la gare et sortit. Il y avait beaucoup de monde dans les rues : des femmes vendaient du maïs grillé et des boissons sucrées, des hommes bavardaient bruyamment entre eux, une famille partait en voyage avec des valises de carton et quelques possessions enroulées dans une couverture. Un enfant qui tirait une petite voiture fabriquée avec du fil de fer bouscula Mma Ramotswe et prit la fuite sans s'excuser, redoutant les remontrances.

Elle s'approcha d'une marchande et s'adressa à elle en setswana :

— Comment allez-vous aujourd'hui, Mma ? s'enquit-elle poliment.

— Je vais bien, et vous, Mma, vous allez bien aussi ?

— Oui, je vais bien, et j'ai très bien dormi.

— Parfait.

Une fois les salutations d'usage achevées, elle poursuivit :

— On m'a dit qu'il y avait ici un très bon docteur. Il s'appelle Dr Komoti. Savez-vous où se trouve son cabinet ?

La femme hocha la tête.

— Beaucoup de gens le consultent. Son cabinet est là-bas, vous voyez ? Là où ce Blanc vient de garer son camion. C'est là.

Mma Ramotswe remercia la femme et lui acheta un épi de maïs grillé, qu'elle grignota en prenant la direction indiquée. Elle traversa la place poussiéreuse pour atteindre le bâtiment délabré au toit de tôle qui abritait le cabinet du Dr Komoti.

À sa grande surprise, elle trouva la porte ouverte. Lorsqu'elle la poussa, une femme se matérialisa devant elle.

— Je suis désolée, Mma, mais le docteur n'est pas là, déclara-t-elle d'un ton légèrement irrité. Je suis l'infirmière. Vous pourrez voir le docteur lundi après-midi.

— Ah ! fit Mma Ramotswe. C'est bien triste d'être obligée de rester à faire le ménage un vendredi soir, alors que tout le monde ne pense qu'à aller s'amuser.

L'infirmière haussa les épaules.

— Mon petit ami va m'emmener danser tout à l'heure. Mais j'aime bien que tout soit en ordre avant le week-end pour le lundi. C'est mieux comme ça.

— Beaucoup mieux, approuva Mma Ramotswe tout en réfléchissant en hâte. En fait, ce n'était pas le docteur que j'étais venue voir, en tout cas, pas comme patiente. J'ai travaillé avec lui, vous comprenez, quand il était à Nairobi. J'étais infirmière dans son service. J'étais juste venue lui dire un petit bonjour.

À ces mots, les manières de l'infirmière se firent plus amicales.

— Je vais vous préparer du thé, Mma, proposa-t-elle. Il fait encore chaud à cette heure.

Mma Ramotswe s'assit et attendit le retour de la femme, qui réapparut bientôt, la théière à la main.

— Connaissez-vous l'autre Dr Komoti ? interrogea-t-elle. Son frère ?

— Oh oui, répondit l'infirmière. Nous le voyons souvent. Il vient ici donner des coups de main, vous comprenez. Deux ou trois fois par semaine.

Mma Ramotswe souleva sa tasse avec une lenteur extrême. Son cœur s'était mis à battre très fort ; elle savait qu'elle se trouvait au centre du problème, que la solution, qui lui échappait encore, était à portée de main. Toutefois, il fallait paraître naturelle.

— Oh, ils faisaient aussi cela à Nairobi, affirma-t-elle avec un geste d'indifférence, comme s'il s'agissait d'un détail sans conséquence. Ils s'aidaient l'un l'autre. Et souvent, les patients ne s'apercevaient même pas qu'ils n'avaient pas affaire au même docteur.

L'infirmière se mit à rire.

— Ils font cela ici aussi, dit-elle. Je ne suis pas sûre que ce soit très honnête vis-à-vis des patients, mais personne ne s'est encore rendu compte qu'ils sont deux. Tout le monde a l'air satisfait.

Mma Ramotswe prit sa tasse vide et la tendit à son interlocutrice pour la faire remplir.

— Et vous ? demanda-t-elle. Vous arrivez à les distinguer ?

L'infirmière rendit la tasse pleine à Mma Ramotswe.

— Je les reconnais grâce à une chose : l'un est un très bon docteur, et l'autre est nul. Le nul ne connaît pas grand-chose à la médecine. Si vous me demandez mon avis, c'est un miracle qu'il ait réussi à obtenir son diplôme !

Il ne l'a pas obtenu, songea Mma Ramotswe en son for intérieur.

Elle se garda toutefois d'exprimer tout haut cette conviction.

Elle passa la nuit à l'*Hôtel de la Gare* de Mafikeng, un établissement bruyant et inconfortable où elle dormit bien malgré tout, comme c'était le cas chaque fois qu'elle achevait une enquête. Le lendemain matin, elle fit ses courses chez OK Bazaars, découvrant avec plaisir un assortiment de robes taille 48 à prix promotionnels. Elle en acheta trois — deux de plus que nécessaire — mais lorsqu'on était propriétaire de l'Agence N° 1 des Dames Détectives, il fallait maintenir un certain standing.

À trois heures de l'après-midi, elle était de retour à Gaborone. Elle appela le Dr Maketsi et l'invita à venir sans délai à l'agence pour l'informer des résultats de l'enquête. Dix minutes plus tard, il s'asseyait en face d'elle, jouant nerveusement avec les manchettes de sa chemise.

— Tout d'abord, annonça Mma Ramotswe, pas de drogue.

Le Dr Maketsi poussa un soupir de soulagement.

— Dieu merci ! fit-il. C'était cela qui me donnait le plus de souci.

— Bon, reprit Mma Ramotswe, hésitante. Le problème, c'est que je ne suis pas certaine que tu vas aimer ce que je vais te dire.

— Il n'est pas qualifié, souffla le Dr Maketsi. C'est ça ?

— L'un d'eux n'est pas qualifié, rectifia Mma Ramotswe.

Le Dr Maketsi la dévisagea sans comprendre.

— L'un d'eux ?

Mma Ramotswe s'adossa à son fauteuil avec l'air de quelqu'un qui s'apprête à livrer la clé d'un mystère.

— Il était une fois deux jumeaux, commença-t-elle. Le premier suivit des études de médecine et devint docteur, l'autre non. Le diplômé obtint un poste, mais comme il était cupide, il se dit que deux emplois de médecin seraient plus rentables qu'un seul. Il prit donc deux postes et travailla dans chacun d'eux à mi-temps. Lorsqu'il n'était pas là, son frère, qui était son vrai jumeau, prenait le relais. Pour cela, ce dernier se servait de quelques bribes de connaissances enseignées par le médecin, à qui il demandait sans doute conseil lorsqu'il ne savait pas quoi faire. Voilà ! C'est l'histoire du Dr Komoti et de son frère jumeau de Mafikeng.

Le Dr Maketsi resta silencieux. Tandis que Mma Ramotswe parlait, il s'était pris la tête dans les mains et, l'espace d'un instant, elle crut qu'il allait éclater en sanglots.

— Alors je les ai eus tous les deux à l'hôpital, dit-il enfin. Parfois, nous avions le vrai médecin, et le reste du temps, c'était son jumeau.

— Oui, répondit simplement Mma Ramotswe. Disons qu'une semaine sur deux vous aviez le diplômé, pendant que l'autre travaillait comme généraliste dans un cabinet voisin de la gare de Mafikeng. Ensuite, ils échangeaient leurs rôles, et j'imagine que le vrai médecin s'employait à recoller les morceaux que son frère avait laissés en suspens, pour ainsi dire.

— Deux postes pour le prix d'un seul diplôme, fit le Dr Maketsi, songeur. C'est l'escroquerie la plus machiavélique que l'on m'ait racontée depuis bien longtemps !

— J'avoue que j'ai moi-même été stupéfaite, dit Mma Ramotswe. Je croyais connaître toutes les formes imaginables de la malhonnêteté humaine, mais, visiblement, on peut encore se faire surprendre.

Le Dr Maketsi se caressa le menton.

— Il faut que j'aille raconter ça à la police, décida-t-il. Il va y avoir une mise en examen. Il est de notre devoir de protéger le public contre les individus de cette espèce.

— Sauf si... commença Mma Ramotswe.

Le Dr Maketsi s'empressa de saisir la perche qu'elle lui tendait.

— Tu vois une autre possibilité? interrogea-t-il. Une fois cette affaire rendue publique, il est certain que les gens vont s'affoler. Ils n'auront plus envie de venir consulter à l'hôpital. Nos programmes de santé publique se fondent sur la confiance... Tu sais ce que c'est.

— Précisément, assura Mma Ramotswe. C'est pourquoi je te suggère de transférer le point névralgique. Je suis d'accord avec toi : d'un côté, le public doit être préservé, de l'autre, il faut que le Dr Komoti soit mis hors d'état de nuire. Alors pourquoi ne pas confier ce dernier soin à d'autres?

— Tu veux dire aux autorités de Mafikeng?

— Oui, répondit Mma Ramotswe. Après tout, le mal est également commis là-bas et nous pouvons laisser les Sud-Africains gérer l'affaire. De cette façon, les journaux de Gaborone n'en parleront peut-être même pas. Les patients apprendront seulement que le Dr Komoti a donné sa démission, ce qui peut arriver à n'importe qui, et pour toutes sortes de raisons.

— Cela me paraît bien, dit le Dr Maketsi. Je préfère que le ministre ne vienne pas fourrer son nez dans cette histoire. Je ne pense pas que cela réglerait quoi que ce soit si... disons, s'il perdait son sang-froid !

Bien sûr que non, renchérit Mma Ramotswe. Avec ta permission, je vais téléphoner à mon ami Billy Pilani, qui est capitaine de gendarmerie là-bas. Il va adorer démasquer un faux médecin. Billy aime les arrestations sensationnelles.

— Oui, ce sera très bien, acquiesça le Dr Maketsi avec un sourire.

C'était une solution parfaite pour un problème hors du commun, et le médecin admirait l'efficacité avec laquelle Mma Ramotswe l'avait pris en main.

— Tu sais, dit-il, je crois que même ma tante de Mochudi n'aurait pas réglé ce problème mieux que toi.

Mma Ramotswe sourit à son vieil ami. Vous avez beau avancer dans la vie et faire chaque année — ou même chaque mois — de nouvelles rencontres, rien ne remplace les amitiés tissées dans l'enfance et qui ont survécu au passage à l'âge adulte. Dans celles-ci, nous nous trouvons liés les uns aux autres par des chaînes d'acier.

Elle tendit la main et toucha le bras du Dr Maketsi, doucement, comme le font les vieux amis lorsqu'ils n'ont plus rien à ajouter.

CHAPITRE XXI

La femme du sorcier

Un chemin poussiéreux, à peine praticable, assez mauvais pour briser la suspension. Une colline, amas de pierres conforme aux prédictions du petit plan griffonné par Mr. Charlie Gotso. Et au-dessus, s'étirant d'un horizon à l'autre, le ciel vide, chantant dans la chaleur de midi.

Mma Ramotswe conduisait la petite fourgonnette blanche avec mille précautions, évitant les cailloux susceptibles de déchirer le carter, se demandant qui pouvait bien s'aventurer par là. C'était un pays mort : pas de bétail, pas de chèvres, seulement la savane et les robiniers rachitiques. Que l'on puisse souhaiter vivre là, loin des villages, loin de tout contact humain, semblait inexplicable. Un pays mort.

Elle aperçut soudain la maison, dissimulée par les arbres, presque dans l'ombre de la colline. C'était une simple construction de terre, de style traditionnel : murs bruns de boue séchée, quelques fenêtres sans vitres, un muret à hauteur de genou pour délimiter la cour. Un précédent propriétaire, jadis, avait peint sur le muret des motifs que la négligence et les années avaient effacés et dont il ne subsistait plus que des traces.

Elle gara la fourgonnette et retint son souffle. Elle

avait défié des fraudeurs, affronté des épouses jalouses, et même tenu tête à Mr. Gotso. Mais cette rencontre-là serait différente. Mma Ramotswe aurait affaire au mal incarné, au cœur des ténèbres, aux racines de la honte. Cet homme, avec ses salamalecs et ses mauvais sorts, était un assassin.

Elle ouvrit la portière et sortit avec lenteur. Le soleil était haut dans le ciel et ses rayons brûlants picotaient la peau. On était beaucoup trop à l'ouest ici, bien trop près du Kalahari, et le malaise de Mma Ramotswe s'intensifiait. Autour d'elle, ce n'était pas le pays rassurant dans lequel elle avait grandi ; c'était l'Afrique implacable, la terre sans eau.

Elle approcha de la maison avec le sentiment d'être observée. Elle ne percevait pas le moindre mouvement, mais savait que des yeux étaient fixés sur elle, des yeux qui se trouvaient à l'intérieur de la maison. Parvenue au muret, elle s'arrêta et, conformément à la coutume, appela pour annoncer sa présence.

— J'ai très chaud, dit-elle. J'ai besoin d'eau.

Aucune réponse ne lui parvint, mais elle entendit un bruissement sur sa gauche, parmi les broussailles. Elle se retourna, presque coupable, et regarda. C'était un gros scarabée noir, un *setotojane* au cou corné qui poussait un minuscule trophée, quelque insecte mort de soif, sans doute. Petits désastres, petites victoires : comme pour nous, pensa-t-elle. Vus d'en haut, nous ne valons pas plus que des *setotojane*.

— Mma ?

Elle se retourna vivement. Une femme se tenait dans l'embrasure de la porte, s'essuyant les mains à un torchon.

Mma Ramotswe franchit l'ouverture sans grille du muret.

— *Dumela Mma*, dit-elle. Je suis Mma Ramotswe.

La femme hocha la tête.

— *Ee.* Je suis Mma Notshi.

Mma Ramotswe l'examina. Elle avait une cinquantaine d'années, peut-être plus, et portait une longue jupe semblable à celles des femmes herero. Mais elle n'était pas herero. Mma Ramotswe en était certaine.

— Je viens voir votre mari, déclara-t-elle. J'ai quelque chose à lui demander.

La femme sortit de l'ombre pour se poster devant Mma Ramotswe, qu'elle dévisagea avec une insistance déconcertante.

— Vous venez pour un problème précis? Vous voulez lui acheter quelque chose?

Mma Ramotswe hocha la tête.

— J'ai entendu dire que c'était un grand docteur. J'ai des soucis à cause d'une femme qui cherche à me prendre mon mari. Je voudrais qu'il me donne de quoi l'arrêter.

La femme sourit.

— Il pourra vous aider. Il vous trouvera sûrement quelque chose. Mais il n'est pas là. Il est à Lobatse jusqu'à samedi. Il faudra revenir.

Mma Ramotswe poussa un soupir.

— Je viens de faire une longue route et j'ai soif. Avez-vous de l'eau, ma sœur?

— Oui, j'ai de l'eau. Vous pouvez entrer et vous reposer un peu dans la maison si vous voulez.

La pièce était petite, meublée d'une table bancale et de deux chaises. Dans un coin, il y avait un coffre à grain de style traditionnel et une malle de fer cabossée. Mma Ramotswe prit place sur l'une des chaises, tandis que la femme lui tendait une tasse en émail blanc. L'eau avait un goût rance, mais Mma Ramotswe la but avec reconnaissance.

Puis elle reposa la tasse et regarda la femme.

— Je suis ici pour quelque chose, comme je vous l'ai dit. Mais je suis aussi venue vous mettre en garde.

La femme se laissa tomber sur la deuxième chaise.

— Me mettre en garde ?

— Oui, dit Mma Ramotswe. Je suis dactylographe. Vous savez ce que ça signifie ?

La femme hocha la tête.

— Je travaille pour la police, enchaîna Mma Ramotswe. Et j'ai tapé une lettre qui concernait votre mari. Ils savent qu'il a tué ce garçon, celui de Katsana. Ils savent que c'est lui qui l'a enlevé et qui l'a tué pour faire du *muti*. On va bientôt venir l'arrêter. Ensuite, on le pendra. Je suis venue vous prévenir qu'on vous pendra vous aussi, parce qu'ils prétendent que vous êtes impliquée dans l'affaire. Ils disent que vous avez participé. Moi, je ne pense pas que ce soit bien de pendre des femmes. C'est pour cela que je suis venue ; vous pourriez arrêter cela très vite en allant avec moi à la police raconter ce qui s'est passé. On vous croira et vous serez sauvée. Sinon, vous mourrez bientôt. Le mois prochain, je pense.

Elle s'interrompit. La femme avait lâché le torchon qu'elle tenait à la main et elle la regardait, les yeux exorbités. Mma Ramotswe connaissait l'odeur de la peur, une odeur âpre, acide, que l'on émet par tous les pores lorsqu'on est effrayé. L'atmosphère torpide de la pièce s'était chargée de cette odeur.

— Avez-vous compris ce que je vous ai dit ? demanda-t-elle.

La femme du sorcier ferma les yeux.

— Je n'ai pas tué cet enfant.

— Je sais, assura Mma Ramotswe. Ce ne sont jamais les femmes qui font ces choses-là. Seulement, pour les policiers, cela ne change rien. Ils ont des preuves contre vous et le gouvernement tient à ce que vous soyez pendue vous aussi. Votre mari d'abord. Vous ensuite. Ils n'aiment pas la sorcellerie, vous comprenez. Ils ont honte. Ils trouvent que ce n'est pas moderne.

— Mais l'enfant n'est pas mort ! protesta la femme. Il se trouve au poste de bétail, où mon mari l'a emmené. Il y travaille. Il est encore vivant.

Mma Ramotswe ouvrit la portière pour la femme et la claqua violemment derrière elle. Puis elle gagna le côté du conducteur et s'installa au volant. Le soleil avait chauffé le siège au point qu'elle ressentit une vive brûlure à travers l'étoffe de sa robe, mais la douleur n'avait aucune importance. Ce qui comptait, c'était de parcourir le trajet qui, selon la femme, durerait quatre heures. Il était une heure de l'après-midi. Elles pourraient arriver à destination juste avant la tombée de la nuit et repartir aussitôt. Si le mauvais état de la route obligeait à s'arrêter pour la nuit, on pourrait toujours dormir à l'arrière de la fourgonnette. L'essentiel était de récupérer l'enfant.

Le trajet se déroula dans le silence. La passagère tenta bien d'engager la conversation, mais Mma Ramotswe l'ignora. Elle n'avait rien à dire à cette femme ; elle ne voulait pas lui parler.

— Vous n'êtes pas très aimable ! finit par lancer l'épouse du sorcier. Vous ne me parlez pas. Moi, j'essaie de bavarder avec vous, mais vous ne me répondez pas. Vous vous croyez meilleure que moi, c'est ça ?

Mma Ramotswe se tourna à demi vers elle.

— Si vous avez accepté de me conduire jusqu'à ce garçon, c'est seulement parce que vous avez peur. Vous ne le faites pas parce que vous souhaitez qu'il retrouve ses parents. Cela vous est complètement égal, n'est-ce pas ? Vous êtes une mauvaise femme et je vous préviens que si la police apprend que vous et votre mari continuez à pratiquer la sorcellerie, elle viendra vous chercher et vous jettera en prison. Et si elle ne le fait pas, j'ai des amis à Gaborone qui s'en chargeront à sa place. Est-ce que vous m'avez bien comprise ?

Les heures passèrent. C'était un voyage difficile à travers l'immensité du veld, sur des pistes que l'on distinguait mal. Enfin, là-bas, au loin, on aperçut un enclos à bétail et un groupe d'arbres ombrageant quelques huttes.

— Voilà le poste de bétail, dit la femme. Il y a deux Basarwa ici, un homme et une femme, plus le garçon qui travaille pour eux.

— Comment avez-vous fait pour le retenir ici ? s'enquit Mma Ramotswe. Comment saviez-vous qu'il ne chercherait pas à s'enfuir ?

— Regardez autour de vous, répondit la femme. Regardez comme ce lieu est désert. Les Basarwa le rattraperaient avant qu'il ait eu le temps d'aller bien loin.

Une autre question effleura soudain l'esprit de Mma Ramotswe. L'os. Si l'enfant était encore en vie, d'où provenait l'os ?

— Il y a à Gaborone un homme qui a acheté un os à votre mari, dit-elle. Où vous l'êtes-vous procuré ?

La femme lui lança un regard dédaigneux.

— A Johannesburg, on peut acheter tous les os qu'on veut. Vous ne le saviez pas ? Ça ne coûte pas cher du tout.

Assis sur de grosses pierres devant l'une des huttes, les deux Basarwa mangeaient du porridge de maïs. Ils étaient minuscules et décharnés, avec de grands yeux de chasseur, et ils dévisageaient les arrivantes. Enfin, l'homme se leva pour saluer la femme du sorcier.

— Le bétail va bien ? demanda brutalement celle-ci.

L'homme produisit un claquement étrange avec sa langue.

— Très bien. Aucune bête n'est morte. Cette vache, là, donne beaucoup de lait.

Les mots étaient setswana, mais il fallait tendre l'oreille pour comprendre. Cet homme parlait avec les claquements et les sifflements propres au Kalahari.

— Où est le garçon ? s'enquit la femme d'un ton cassant.

— De ce côté-là, répondit l'homme. Regardez.

Alors, ils virent l'enfant, debout près d'un buisson, qui les regardait d'un air incertain. C'était un petit garçon couvert de poussière, en pantalon déchiré, un bâton à la main.

— Viens ici ! lui cria la femme du sorcier. Viens ici !

L'enfant approcha, les yeux baissés. Il avait une cicatrice à l'avant-bras, une épaisse zébrure, et Mma Ramotswe comprit d'où elle provenait : c'était une marque de fouet, de *sjambok*.

Elle posa la main sur l'épaule de l'enfant.

— Comment t'appelles-tu ? interrogea-t-elle avec douceur. Es-tu le fils de l'instituteur du village de Katsana ?

Le garçon frémit, mais lorsqu'il lut l'inquiétude dans les yeux de Mma Ramotswe, il parla :

— Oui. Mais je travaille ici maintenant. Ces gens-là m'obligent à surveiller leurs bêtes.

— Est-ce que cet homme t'a frappé ? souffla-t-elle. Il t'a frappé ?

— Il me frappe tout le temps, répondit le garçon. Et il dit que si je m'enfuis, il me retrouvera dans la savane et qu'il me plantera un piquet pointu en travers du corps.

— Tu ne crains plus rien, maintenant, assura Mma Ramotswe. Je t'emmène. Tout de suite. Avance devant moi. Je veille sur toi.

L'enfant jeta un coup d'œil aux Basarwa, puis commença à marcher vers la fourgonnette.

— Vas-y, l'encouragea Mma Ramotswe. Je viens avec toi.

Elle l'installa sur le siège du passager et referma la portière. La femme du sorcier l'interpella :

— Attendez-moi ! J'ai besoin de dire quelque chose à ces gens au sujet du bétail. J'arrive dans une minute.

Mma Ramotswe contourna l'avant du véhicule et s'assit au volant.

— Attendez ! cria encore la femme. Ce ne sera pas long.

Mma Ramotswe se pencha en avant et mit le contact. Puis, passant la première vitesse, elle tourna le volant et pressa le pied sur l'accélérateur. La femme poussa un hurlement et se mit à courir derrière la fourgonnette, mais le nuage de poussière l'aveugla bientôt. Elle trébucha et tomba au sol.

Mma Ramotswe se tourna vers le garçon, effrayé et désorienté à ses côtés.

— Je te ramène chez toi, maintenant, lui dit-elle. Le voyage sera long et je pense que nous allons être obligés de nous arrêter pour la nuit. Mais nous nous remettrons en route demain matin et il n'y en aura plus pour très longtemps ensuite.

Une heure plus tard, elle immobilisait la fourgonnette près du lit d'une rivière asséchée. Ils étaient totalement seuls, dans une obscurité que ne venait même pas briser un éventuel feu allumé dans un lointain poste de bétail. La seule lumière des étoiles tombait sur eux, faible lueur argentée qui baignait la silhouette endormie du garçon, enveloppé dans un sac de toile qu'elle avait à l'arrière de la fourgonnette, la tête reposant sur le bras de Mma Ramotswe, et Mma Ramotswe elle-même, dont les yeux restèrent ouverts pour scruter le ciel nocturne, jusqu'au moment où l'immensité de cette vision la fit sombrer en douceur dans le sommeil.

Le lendemain, au village de Katsana, le maître d'école regarda par la fenêtre et aperçut une petite fourgonnette blanche qui s'immobilisait devant sa porte. Il vit descendre la femme, qui observa sa maison, puis il remarqua l'enfant. Qui était ce garçon ? Pourquoi cette mère le lui amenait-elle ?

Il sortit. La femme se tenait à présent au niveau du muret qui délimitait la cour.

— Vous êtes l'instituteur, Rra ?

— Je suis l'instituteur, Mma. Est-ce que je peux faire quelque chose pour vous ?

Elle se tourna vers la fourgonnette et adressa un signe à l'enfant encore assis à l'intérieur. La portière s'ouvrit et il vit son fils sortir. Alors il poussa un cri et s'élança, puis il s'arrêta et regarda Mma Ramotswe, comme pour obtenir confirmation. Elle hocha la tête et il reprit sa course, trébucha à cause d'un lacet défait, saisit son fils et le pressa contre lui, en hurlant des paroles incohérentes, afin que le village entier, que le monde entier pût entendre sa joie.

Mma Ramotswe retourna à la fourgonnette. Elle ne voulait pas perturber le moment intime des retrouvailles. Elle pleurait, des larmes qu'elle versait aussi pour sa petite fille à elle. Elle se souvenait de cette main minuscule qui avait agrippé son doigt, l'espace d'un si bref instant, en tentant de s'accrocher à un monde inconnu qui s'en allait déjà, si vite... Il y avait tant de souffrance en Afrique qu'on était parfois tenté de hausser les épaules et de s'éloigner. Seulement, on ne peut pas faire cela, pensa-t-elle. On ne peut pas.

CHAPITRE XXII

Mr. J.L.B. Matekoni

Même un véhicule aussi fiable que la petite fourgonnette blanche, qui parcourait kilomètre après kilomètre sans jamais protester, pouvait capituler devant la
poussière. La minuscule fourgonnette avait couvert
sans se plaindre l'aller-retour jusqu'au poste de bétail,
mais à présent, rentrée en ville, elle commençait à
tousser. C'était la poussière, Mma Ramotswe en était
convaincue.

Elle composa le numéro de Tlokweng Road Speedy
Motors. Elle ne voulait pas déranger Mr. J.L.B. Matekoni, mais les apprentis étaient sortis déjeuner et ce fut
lui qui décrocha. Qu'elle ne s'inquiète pas, dit-il. Il
viendrait jeter un coup d'œil à la petite fourgonnette
blanche le lendemain, samedi, et peut-être parvien-
drait-il à la réparer sur place, dans Zebra Drive.

— Cela m'étonnerait, répondit Mma Ramotswe.
Elle est vieille, maintenant. C'est comme avec les
vaches, j'imagine : quand elles vieillissent, il faut les
vendre.

— Ne fais surtout pas cela ! protesta Mr. J.L.B.
Matekoni. On peut tout réparer. Tout.

Même un cœur cassé en deux ? se demanda-t-il en
lui-même. Peut-on réparer un cœur brisé ? Le professeur Barnard, là-bas, à Cape Town, aurait-il été

capable de soigner un homme dont le cœur saignait, saignait de solitude ?

Ce matin-là, Mma Ramotswe alla faire des courses. Le rituel du samedi matin était sacré : elle se rendait au supermarché de l'African Mall, puis achetait ses fruits et légumes à la femme qui installait son étal sur le trottoir, devant la pharmacie. Ensuite, elle prenait un café avec des amis à l'hôtel *Président* avant de rentrer chez elle, où elle buvait un demi-verre de Lion Beer assise sous sa véranda, en lisant le journal. En tant que détective, elle se devait d'éplucher les nouvelles et d'entreposer les faits dans un coin de son cerveau. Tout lui semblait utile, jusqu'à la dernière ligne des discours politiques prévisibles ou des communiqués des églises. On ne savait jamais : à tout moment, un fragment de connaissance de la vie locale pouvait se révéler crucial.

Ainsi, si vous demandiez à Mma Ramotswe le nom des contrebandiers condamnés pour trafic de diamants, par exemple, elle vous les donnait aussitôt : Archie Mofobe, Piks Ngube, Molso Mobole et George Excellence Tambe. Elle avait lu les minutes du procès de chacun d'eux et connaissait les verdicts respectifs : six ans, six ans, dix ans et huit mois. Elle avait enregistré et trié toutes ces informations.

Et qui était le propriétaire de la boucherie N'attendez Plus, dans Old Naledi ? Godfrey Potowani, bien sûr ! Elle se souvenait de la photographie parue dans le journal. On y voyait Godfrey devant sa boutique toute neuve, aux côtés du ministre de l'Agriculture. Et pourquoi le ministre était-il présent ? Parce que sa femme, Modela, était la cousine d'une parente de Potowani, celle qui avait fait cet affreux scandale au mariage de Stokes Lofinale. Voilà pourquoi ! Mma Ramotswe avait peine à comprendre les gens qui se désintéressaient de tout cela. Comment pouvait-on vivre dans une ville comme celle-ci et ne pas souhaiter savoir ce que faisait chacun, même si l'on n'avait aucune raison professionnelle de s'en préoccuper?

Il arriva peu après quatre heures, au volant de la *bakkie*[1] bleue du garage, sur laquelle se détachaient les lettres de TLOKWENG ROAD SPEEDY MOTORS. Il portait sa combinaison de mécanicien, d'une propreté impeccable et repassée avec soin. Elle le conduisit à la petite fourgonnette blanche garée près de la maison et il sortit un cric de l'arrière de son véhicule.

— Je vais te préparer du thé, décida-t-elle. Tu pourras en boire tout en travaillant sur la fourgonnette.

Elle l'observa depuis la fenêtre de la cuisine. Elle le vit ouvrir le capot et tapoter quelques pièces du moteur. Elle le vit s'installer au volant et démarrer la fourgonnette, qui toussota, crachota, puis se tut. Elle le regarda extraire quelque chose du moteur — une pièce de grandes dimensions, d'où sortaient des fils électriques et des durites. Sans doute s'agissait-il du cœur même de la fourgonnette : un cœur loyal, qui avait battu avec régularité et sérieux, mais qui, ainsi arraché, semblait d'une vulnérabilité extrême.

Mr. J.L.B. Matekoni circulait sans cesse entre la fourgonnette et sa dépanneuse. Il vida deux tasses de thé, puis une troisième, car l'après-midi était chaud. Mma Ramotswe entra dans sa cuisine pour mettre des légumes à cuire et arroser les plantes sur le rebord de la fenêtre arrière. La nuit allait bientôt tomber et le ciel se zébrait de bandes dorées. C'était son heure favorite, celle où les oiseaux s'amusaient à fondre en piqué sur la terre et où les insectes nocturnes commençaient à bourdonner. Dans la lumière déclinante, le bétail rentrait à l'étable et les feux crépitaient devant les cases, prêts pour la cuisson du dîner.

1. Camionnette utilitaire. *(N.d.T.)*

Elle sortit demander à Mr. J.L.B. Matekoni s'il n'avait pas besoin d'une lampe. Debout près de la fourgonnette, il s'essuyait les mains sur un chiffon.

— Cela devrait aller, maintenant, déclara-t-il. J'ai réglé le moteur, il fait un bon bruit. Il bourdonne comme une abeille.

Elle applaudit de plaisir.

— Moi qui croyais que tu serais obligé de l'envoyer à la casse ! dit-elle.

Il se mit à rire.

— Je t'avais bien dit qu'on pouvait tout réparer. Même une vieille fourgonnette.

Il la suivit dans la maison. Elle lui servit une bière et ils sortirent pour s'installer à sa place préférée, sous la véranda, près de la bougainvillée. Non loin, dans une maison voisine, on avait mis de la musique, des rythmes traditionnels, insistants, des townships.

Le soleil s'était couché et il faisait sombre. Il s'assit près d'elle dans l'obscurité confortable et ils écoutèrent avec contentement les sons de l'Afrique qui se préparait pour la nuit. Quelque part, un chien aboya. Un moteur de voiture s'emballa, puis son rugissement déclina. Une petite brise soufflait, une brise chaude et poussiéreuse, parfumée de l'odeur des robiniers.

Il tourna la tête dans l'obscurité pour regarder cette femme qui était tout pour lui : la mère, l'Afrique, la sagesse, la compréhension, la bonne cuisine, le potiron, le poulet, l'odeur sucrée de l'haleine du bétail, le ciel blanc sur l'infinité de la savane, et aussi la girafe qui pleurait et donnait ses larmes aux femmes, qui en enduisaient alors leurs paniers. O Botswana, mon pays, ma patrie.

Telles étaient les pensées qui le traversaient. Mais comment dire tout cela à cette femme ? Chaque fois qu'il voulait lui livrer ces choses dont son cœur était empli, les mots qui lui venaient semblaient inadéquats.

Un garagiste ne sera jamais poète, songea-t-il. C'est comme ça. Alors, il déclara simplement :

— Je suis content d'avoir réparé ta fourgonnette. Je n'aurais pas aimé qu'un autre te raconte des mensonges, prétende que cela ne valait pas la peine de la réparer. Il y a des gens comme ça parmi les garagistes.

— Je sais, répondit Mma Ramotswe. Mais toi, tu n'es pas comme ça.

Il garda le silence. Il y avait des fois où l'on savait qu'il fallait dire quelque chose et, si on ne le faisait pas, on le regretterait toute sa vie. Mais chaque fois qu'il avait tenté de lui ouvrir son cœur, il avait échoué. Il l'avait déjà demandée en mariage et cela n'avait pas été une grande réussite. Depuis toujours, il manquait de confiance en lui, du moins avec les gens. Avec les voitures, c'était différent, bien sûr.

— Je suis très heureux d'être ici, avec toi...

Elle se tourna vers lui.

— Qu'est-ce que tu as dit ?

— J'ai dit, je t'en prie, épouse-moi, Mma Ramotswe. Je ne suis que Mr. J.L.B. Matekoni, rien de plus, mais je t'en prie, marie-toi avec moi et rends-moi heureux.

— Avec plaisir, dit Mma Ramotswe.

Afrique
Afrique   Afrique
Afrique   Afrique   Afrique
Afrique   Afrique
Afrique